LOTJE LOTERIJ

KAREL VERLEYEN

Lotje Loterij

Met *illustraties van*
MARK JANSSEN

Davidsfonds/Infodok

Verleyen, Karel
Lotje Loterij

© 2006, Karel Verleyen en Davidsfonds Uitgeverij nv
Blijde-Inkomststraat 79-81, 3000 Leuven
Omslagllustratie: Mark Janssen
Vormgeving: Peer de Maeyer
D/2006/2952/11
ISBN 90 5908 183 3
NUR 283
Trefwoorden: vriendschap, kunstzwendel, detective

STICHTING NEDERLANDSE
KINDERJURY
2006

1.

'Ben je weer op dat gekke ding naar school gekomen?'

Pipo keek naar het blinkende, metalen ministepje van Lotje en zuchtte. Handig flipte hij de punt van zijn skateboard omhoog en zette het ding rechtop. BORN TO BOARD stond er in vurige letters op.

'Ja, en wat dan nog?' snibde Lotje. 'Ik vind het een leuk ding. En bijna net zo cool als jouw skateboard.'

'Och, in de oertijd was zo'n ministep super. Nu doet niemand het nog.'

Pipo had een scherpe, hoge stem en lispelde een beetje. Gewoonlijk vond Lotje dat best lief, maar deze keer niet. Ze snoof, gooide haar hoofd in haar nek en stepte weg.

'Hé! Wacht, Lotje!'

Het meisje keek grijnzend om en zag daardoor de figuur niet die kwam aanrennen. Iemand knalde tegen haar op. Lotje ging samen met de man onderuit.

De man krabbelde vloekend overeind. Een auto kwam met gillende banden de hoek om. Lotje zag hoe de man naar de auto rende. Het achterportier zwaaide open en terwijl de auto nog reed, dook de man naar binnen. De motor brulde en de auto stoof weg.

'Die had haast!' zei Pipo terwijl hij de zwarte auto nakeek. Hij gaf Lotje een hand en hielp haar overeind.

Het meisje wreef over haar pijnlijke knie. Toen zag ze het mobieltje in de goot. Het was een nachtblauw, glimmend ding, niet groter dan een flink luciferdoosje.

Lotje raapte het mobieltje op.

'Van jou?' vroeg Pipo verbaasd. 'Heb jij een Pict304?'

'Huh?' deed Lotje.

'Jouw mobieltje?' vroeg Pipo en hij tikte op het toestelletje.

'Ik heb helemaal geen mobieltje', zei Lotje. 'Pa vindt dat niet nodig.'

'O nee? Wat heb je dan in je hand? Een Japanse kakkerlak?' Lotje grinnikte.

'Het is een mobieltje, maar het is niet MIJN mobieltje. Ik denk dat het uit de zak van die man is gevallen.'

Pipo grijnsde. Hij duwde zijn ronde brilletje wat hoger.

'Maar nu heb jij het en kan ik je 's nachts opbellen als ik een gedicht heb gemaakt of iets uitgevonden heb.'

'Pipo Joris. Jij schrijft geen gedichten en je vindt niets uit, behalve stomme spullen zoals die eierwerper vorige week. Maar, wacht eens eventjes, wil je echt zeggen dat ik dat ding moet houden?'

'Zoiets gooi je toch niet weg?' vroeg Pipo verbaasd. 'Het is een Pict304! Weet je wel wat dat betekent?'

Lotje schudde haar bruine krullen.

'Nee, en ik hoef het ook niet te weten. Ik breng dat ding gewoon naar de politie. En die bezorgt het terug aan de eigenaar.'

Pipo keek Lotje ongelovig aan. Hoe kon ze zo achterlijk zijn? In de klas altijd bij de besten en in het gewone leven een oen?

'Lotje, gebruik toch je verstand! Eens gevonden blijft gevonden. Zo is toch het spreekwoord? Als je het stom genoeg toch wilt teruggeven, moet je dat zelf doen. Bij de politie blijft zo'n ding wachten tot iemand het komt ophalen of het raakt gewoon zoek. Snappie? En misschien krijg je wel een beloning als je het terugbrengt.'

Lotje streek een haarsliert achter haar rechteroor. Pipo had gelijk. Ze bekeek het mobieltje nog eens uitgebreid. Het was wel een leuk ding, natuurlijk...

'Ik wil het teruggeven, maar hoe vind ik die man?' vroeg Lotje toen. 'Er staat geen naam op.'

Pipo zuchtte en stak zijn hand uit. Hij klapte het schermpje van het mobieltje op. Toen begon hij bliksemsnel op de toetsen te tokkelen. Telefoonboek. Eigen nummer? Noppes. Wacht eventjes. Menu... gesprekslijst... kies... ontvangen oproepen... kies... Haha! De letters GVC stonden duidelijk op het scherm.

'GVC heeft met de eigenaar gebeld om 12.17 u, dus net voor de man jou van je sokken liep.'

Lotje stond Pipo vol bewondering aan te staren.

'Nu alleen nog GVC bellen en vragen wie zij of hij net nog gebeld heeft en of ze het adres van die man weten.'

'Pipo, je bent... je bent... een genie!'

'Nee hoor, ik ben gewoon een jongen. Hallo? Dag, mevrouw. Ik ben Pipo Joris en ik heb net het mobieltje van een meneer gevonden. Ik ken hem niet, maar u hebt enkele minuten geleden nog met hem gebeld. Ik wil hem zijn telefoontje teruggeven, maar ik weet zijn naam niet. Ja, dank u.'

Pipo knipoogde.

Lotje zuchtte. Zoals Pipo kon praten...

'Ja, het telefoonnummer is genoeg. Dan bel ik zelf wel. O nee! Dat lukt niet, want ik heb die telefoon. Dom van me. Ja, geef toch maar.'

Pipo wroette in zijn zak. Lotje hoorde een vrouwenstem iets ratelen over kunst en schilderijen.

'Negentienhonderd zeventien? O, pardon, een jaartal. Nummer? 0475/621409. Dank u, mevrouw.'

Pipo krabbelde met een potloodstompje op een groen bioscoopkaartje.

'We hebben hem. Hij heet Malevitsj. Hij koopt schilderijen,

net nog eentje van 1917. En hij woont in de Beukenlaan op nummer 37.'

Pipo keek heel tevreden en gaf Lotje het mobieltje terug.

'Ik weet waar de Beukenlaan is', knikte Lotje. 'De tandarts die mijn kiezen rechtzet, woont er.'

'Moet jij ook naar zo'n smoelsmid?' vroeg Pipo verbaasd. 'Je draagt toch geen beugel?'

'Alleen 's nachts. Ik word nog mooier terwijl ik slaap.'

Daarop wist zelfs Pipo niets te zeggen.

'Dag hoor', zei Lotje en ze stepte weg.

'Hé, ik ga mee! Zonder mij wist je niet eens wie hij was.'

Pipo trok een spurtje en kwam naast Lotje rijden.

'En als hij je iets geeft, delen we dan?' vroeg de jongen.

'Nee. Eerst wilde je dat mobieltje niet eens teruggeven.'

Pipo keek Lotje lichtjes verbijsterd aan.

'Grapje', lachte Lotje. 'Natuurlijk mag je mee. En je krijgt de helft. Goed?'

De Beukenlaan was een statige laan aan de rand van de stad. Af en toe bulderde er een vliegtuig over dat net was opgestegen van de luchthaven enkele kilometers verderop. Maar verder was het er heel rustig. Hoge bomen, grote tuinen met daarin geweldige huizen.

Nummer 37 was er ook zo eentje. De muren ervan waren helderwit geschilderd. Het had grote ramen en...

'Wat een kast', zuchtte Pipo. 'Heb je dat hek al eens bekeken? En kijk daar, een camera!'

'Ja, maar zie jij een bel?' vroeg Lotje zenuwachtig.

Ze liep voor het hek heen en weer.

'Wat moeten jullie daar?'

Lotje struikelde geschrokken achteruit. De stem kwam uit een verborgen luidspreker en klonk helemaal niet vriendelijk.

'Wegwezen, jullie!'

Lotje stak het mobieltje in de lucht.

'Meneer, ik wil dit teruggeven aan meneer Malevitsj', piepte het meisje.

Ze zag de camera draaien. De lens schoof een eindje naar buiten.

'Het telefoontje', zei ze nog.

'Wacht eventjes', snauwde de stem. Toen schoof het hek open.

Lotje en Pipo wilden naar binnen stappen toen de stem opnieuw klonk.

'Alleen het meisje!'

'Maar... Hij is mijn vriendje en hij heeft...'

'Alleen het meisje, zeg ik. En laat dat gekke ding buiten het hek', blafte de man.

Lotje slikte. Dit vond ze helemaal niet prettig.

'Ga dan toch', drong Pipo aan. 'Ik wacht hier en let wel op dat gekke ding.'

Lotje aarzelde.

'Als je na een kwartier niet terug bent, bel ik de politie wel.'

Tja, alsof dat Lotje gerust kon stellen. Ze had zin om het mobieltje gewoon de tuin in te gooien. Pipo gaf haar een zetje. Het hek gleed achter haar dicht. Lotje liep over een grijs grindpad naar de voordeur. Die ging bijna meteen open toen Lotje op een bel drukte.

'Waarom belde je aan?' snauwde een grote, kale man. Hij vulde bijna de hele deuropening. Geweldige spierballen, een strak om zijn buik gespannen wit T-shirt, zwarte jeans en een brede riem.

'Omdat daar staat HIER AANBELLEN. Op dat plaatje', fluisterde Lotje.

De man draaide zijn hoofd en gromde wat. Het leek wel alsof hij de bel voor het eerst zag. Lotje vond het heel vreemd. Als je in een huis woont, weet je toch waar de bel hangt?

Met een rukje van zijn hoofd gaf de man Lotje een teken. Binnenkomen! De deur zwaaide meteen dicht. De man ging Lotje voor naar een grote, lichte kamer. Twee van de wanden bestonden uit glas. Lotje keek wat verbaasd naar de behoorlijk verwaarloosde tuin.

'Wacht hier', zei de man.

Zijn stem klonk alsof hij schuurpapier in zijn keel had. Lotje knikte. Wat een vreemde kamer. Geen meubels, behalve een wankele kamer vol verftubes en penselen, vodden en flesjes. Op een schildersezel stond een half afgewerkt schilderij, het beeld van een meisje met lang krullend haar dat een briefje zat te lezen in een stoeltje met ronde armsteunen. Ze droeg een witte jurk met wijde mouwen.

Lotje glimlachte. Ja, zo zat ze er zelf ook weleens bij. Haar linkerbeen had ze over haar rechter heen geslagen. Haar tenen waren bloot en nergens op het schilderij was haar tweede pantoffel te zien. Lotje bekeek de achterkant. Wat voor een gek figuurtje stond daar op het houten frame waarop het doek gespannen was? Het leek wel een piepkleine salamander of een draakje.

Lotje schrok. Met een speels méééuw, kwam een pikzwarte kat aanlopen. Hij draaide rond Lotjes benen, duidelijk op zoek naar een strelinkje. Lotje krauwde tussen zijn oren. Er lag ook een oranje balletje. Lotje raapte het op en gooide het naar de andere kant van de kamer. Als een harige bliksem ging de kat erachteraan. Met zijn poten mepte hij het balletje heen en weer.

'Zo? Je hebt al vriendschap gesloten met Lucifer, zie ik. Hij is dol op spelletjes. En jij hebt dus mijn mobieltje gevonden?'

Lotje staarde stokstijf naar de man. Hij was lang, slank en mooi gebruind. Zijn golvende haar was donker, maar het waren vooral zijn ogen die opvielen. Nooit had Lotje zulke blauwe ogen gezien. Hij zag eruit als een filmster…

'Ja, meneer. Ik lag op de grond omdat u me omver had geduwd. Toen zag ik het.'

De man knikte.

'Ik ben Igor Malevitsj.'

Hij maakte een gebaar naar het schilderij.

'Zoals je ziet, ben ik kunstenaar. Ik heb helaas weinig tijd. Mag ik mijn telefoon?'

Lotje haalde het blauwe, glanzende ding te voorschijn.

'Dank je', zei Malevitsj terwijl hij het schermpje openklapte en op enkele toetsen drukte.

'Je hebt de galerie gebeld?' vroeg hij scherp. 'Waarom?'

'GVC? Ik weet niet, het was Pipo die belde, de jongen die niet mee naar binnen mocht. Hij belde om te weten waar u woont.'

'Juist', zei Malevitsj. 'Dat was slim bedacht. Ik ben heel blij dat je me dit ding terugbezorgt.'

Hij stopte het mobieltje in zijn broekzak en haalde er een portefeuille uit te voorschijn.

'Het is niet…' begon Lotje.

'Weet ik best, lieve kind. Maar je zult allicht wel af en toe wat centen kunnen gebruiken, niet? O, verrek!'

Malevitsj sloeg met zijn vlakke hand tegen zijn voorhoofd.

'Ik heb geen cent meer hier. Helemaal vergeten.'

'Maakt niets uit, meneer. Dag, meneer.'

Lotje liep al naar de deur. De kat mepte net het balletje onder een radiator en ging op haar flank liggen om het er onderuit te halen.

'Wacht,' riep Malevitsj, 'zo mag je niet weggaan.'

2.

Lotje bleef staan en keek om. Meneer Malevitsj liep naar de muur en drukte op een knop. Meteen klonk een stem.

'Ja? Wat is er, meneer Malevitsj?'

Lotje peuterde in haar oor. Hoe kon dat? Ze hoorde de schelle stem van Pipo!

'Hier komen. En breng je portefeuille mee.'

'Portefeuille? Meteen, meneer Malevitsj.'

Malevitsj glimlachte vriendelijk.

'Mijn assistent brengt zo meteen je beloning. Is er iets?'

Lotje wilde in haar arm knijpen.

'Is Pipo uw assistent?'

Nu keek Malevitsj verbaasd.

'Pipo? Wie is Pipo? Mijn assistent heet Vladimir.'

Lotje knikte. Ze zou gezworen hebben dat ze Pipo had gehoord. De wat scherpe stem, het lichte lispelen…

De deur ging open. Een wat kippig kijkend mannetje stapte naar binnen. Hij had droog, stroblond haar. Op zijn tanden zou elk konijn jaloers zijn, dacht Lotje. Het mannetje droeg een bril met dikke glazen en had een snorretje dat als een rups op zijn bovenlip lag. Lotje zag meteen de verfvlekken op zijn vingers en zijn kleren. De assistent werkte zeker meer aan het schilderij dan de kunstenaar zelf.

'Steeds tot uw dienst, meneer. Portefeuille?'

Lotje kon haar oren nog altijd niet geloven. Die stem klonk echt als die van Pipo.

'Ja, Vladimir. Toen Balder en jij als een gek wegreden zonder mij, heb ik dit meisje omvergelopen. Ik ben zelf ook tegen de grond gegaan. Daarbij heb ik mijn mobieltje verloren en dit slimme meisje brengt het ding terug. Dus heeft ze een beloning verdiend. Geef haar tien euro.'

'Het was Balder die niet wilde wachten... Tien euro? Ja, meneer.'

Vladimir begon in zijn portefeuille te graven.

'O,' zuchtte hij dan, 'dat kan niet, meneer. Ik heb geen geld meer. Vergeten naar de automaat te gaan. Ik heb gisteren twee loterijbriefjes gekocht. En toen...'

Malevitsj schaterde het uit.

'Wat zijn wij toch een stel, Vladimir! We zijn zowat schatrijk en jij noch ik hebben tien euro. Weet je wat? Geef dat meisje zo'n loterijbriefje.'

'Meneer...'

Vladimir keek doodongelukkig, maar Malevitsj knipte twee keer met zijn vingers en het loterijbriefje kwam te voorschijn. Het was heloranje en vlammend blauw van kleur. In het midden stond een spierwitte roos. Rechts stond een reeks zwarte cijfertjes.

'Dank u, meneer. Ik ben er heel blij mee', loog Lotje.

Ze had geleerd altijd heel beleefd te zijn.

'Nee, nee, jij wordt bedankt. Tot kijk.' De telefoon van Malevitsj maakte een piepgeluid. 'Vladimir, laat jij het meisje uit? Hallo!'

'Ja, meneer', zuchtte Vladimir en hij hield de deur voor Lotje open. Lotje keek nog een laatste keer om zich heen. Op de muren waren de omtrekken van de schilderijen die er ooit hadden gehangen duidelijk te zien. Waren alle kunstwerken soms verkocht?

Vladimir duwde Lotje zowat naar buiten. Het zware hek gleed open. De kale kolos, waarschijnlijk was hij die Balder, had Lotje niet meer gezien.

'En?' vroeg Pipo. 'Hoeveel?'

'Kom. Ik wil hier eerst weg', zei Lotje en ze pakte haar step.

Zo snel ze kon, ging ze ervandoor. Pipo ratelde achter haar aan op zijn skateboard. Bij het park haalde hij haar in. Daar was een lange helling waar hij in volle vaart kon afsjezen. Hij sneed haar met een scherpe bocht de weg af. Lotje stopte.

'Wat was er zo opeens?' vroeg Pipo.

Lotje haalde haar schouders op. 'Ik vond het daar akelig. En dan die Vladimir. Heel eng. Hij praatte een beetje als jij. Ik dacht eerst nog dat ik jou hoorde.'

'Hé zeg, je wordt bedankt!'

'Pipo, er was iets met dat huis. Ik weet niet wat, maar die Malevitsj… Hij deed heel vriendelijk, maar hij bezorgde me rillingen. En hij had geen geld. Hij heeft me een loterijbriefje gegeven.'

Pipo merkte best dat zijn vriendinnetje helemaal onderste-boven was.

'Wat heeft hij je gegeven?'

'Een loterijbriefje. Kijk niet zo idioot. Misschien winnen we wel een grote prijs.'

Pipo lachte.

'Juist, Lotje Loterij. Dat gebeurt elke dag. Je krijgt of je vindt een loterijbriefje en dan win je de hoofdprijs. Waar is dat ding?'

Lotje viste het briefje uit de zak van haar sweater. Pipo plukte het tussen haar vingers vandaan. Hij keek verbaasd naar het nummer L1234321. Had iemand dat speciaal uitgezocht?

'Helemaal mooi!' zei hij dan.

'Wat?' vroeg Lotje. Ze had zin om weg te lopen.

'Dit briefje is van de trekking van eergisteren. Ze hebben je gewoon beduveld.'

Lotje zuchtte diep.

'Ach, maakt niets uit', zei ze en ze probeerde onverschillig te klinken. 'Ik deed het toch niet voor de beloning.'

Pipo keek haar wat bokkig aan.

'Als je maar weet dat ik normaal de helft zou krijgen', zei hij.

'Die krijg je toch!' Lotje maakte een gebaar alsof ze iets naar hem toe gooide. 'De helft van niets. Alsjeblieft!'

Ze grabbelde het loterijbriefje uit de hand van Pipo, verfrommelde het en gooide het weg.

'Wel, wel, wel!' zei een boze stem. 'En ik maar zorgen dat het park netjes blijft. Bedankt voor de hulp, hoor.' Een van de opzichters van het park stopte naast de twee jongelui. 'Geen idee waarom daar een vuilnisbak staat? Nee…'

Lotje liep naar het propje, raapte het op en deponeerde het in de vuilnisbak, vlak naast de bank waarop een haveloze zwerver zat. De man had drie plastic tassen bij zich en een opgerolde deken die was samengebonden met een touw. Hij grijnsde naar Lotje.

'Zo, meisje, jij zou mijn slaapkamer nog smerig maken ook?' kraakte zijn stem.

Lotje liep weer naar Pipo en de opzichter.

'Mooi zo. En onthoud het vanaf nu. Afval hoort thuis in de vuilnisbak.'

De opzichter tikte aan zijn pet en fietste weg.

'Ik ga naar huis', zei Pipo. 'Het is niet omdat ik nog altijd arm ben dat ik honger moet lijden. Dagjes hoor.'

'Doe niet zo ongezellig, Pipo!' zei Lotje, maar de jongen keek niet meer om.

Waarom deed Pipo zo? Kon zij het helpen dat Vladimir haar had belazerd? Landerig stepte ze naar huis.

's Avonds voelde ze zich nog altijd niet prettig. Ze plofte in een stoel voor de televisie neer. Nieuws.

'De directie van de Rozenloterij verspreidde zonet de mededeling dat de winnaar van de hoofdprijs voor de trekking van 19 mei, eergisteren dus, zich nog niet heeft gemeld. Dat is vreemd omdat het om een aanzienlijk bedrag gaat. De prijs blijft uiteraard gedurende drie maanden…'

Lotje vloekte. Wat was dat toch met die loterij? Een dag geleden wist ze niet eens dat er iets als een Rozenloterij bestond en nu kreeg ze er de hele tijd mee te maken. Ze zapte naar een muziekzender. Voorlopig had ze meer dan genoeg van loterijbriefjes en loterijen. En die idiote winnaar…

Hoe had Pipo haar genoemd? "Lotje Loterij"? Als hij dat nog een keertje deed, zou ze het hem meteen inpeperen!

De telefoon rinkelde.

'Lotje, neem eens op! Ik wilde net onder de douche!'

De stem van mama schalde door het huis.

'Ja, mam!' Lotje slenterde naar de telefoon.

'Hallo, met Lotje…'

'Lotje! Weet je het nummer nog van dat loterijbriefje dat Malevitsj je gegeven heeft?'

'Nee! En het was Vladimir die het me gaf. Waarom?'

'Ik denk het wel. Omdat het zo'n gek nummer was. L1234321 Ik…'

'Pipo, sterk hoor, knap van je. Maar wat heb ik ermee te maken?'

Het bleef eventjes stil.

'Omdat, Lotje Loterij…'

'Pipo! Zeg dat nooit meer of ik noem jou… jou…' Lotje wist zo gauw niets. 'Ik noem jou Flipper!'

'Huhu! Oké dan. Omdat, Lotje van lotje getikt, omdat jij misschien het winnende loterijbriefje hebt weggegooid. Waarde? 500.000 euro.'

Lotje hapte naar adem.

'Krrrrr!' deed het in haar keel toen ze probeerde te praten.

'Ja, ik denk dat L1234321 jouw briefje was.'

'Kom naar het park!' schreeuwde Lotje. 'Bij die bank, weet je nog?'

Ze gooide de telefoon neer en stormde weg. Als een gek stepte ze naar het park. Waarom had ze geen goeie fiets? En waarom moest dat krakkemikkige fietsding van haar ook nog een lekke band hebben? Ze was woest.

Als Pipo een grapje had gemaakt, zou ze zijn darmen via zijn neusgaten uit zijn lijf halen.

Nu maar hopen dat niemand die vuilnisbak intussen leeggemaakt had. Lotje was het eerst bij de bank. Dat dacht ze tenminste. Net toen ze eraan kwam, stapte de haveloze zwerver die ze eerder had gezien, uit de struiken. Hij sjorde zijn broek op en grijnsde. Lotje aarzelde. De zwerver liep naar de vuilnisbak. Handig klapte hij de bovenzijde open en begon te graaien.

'Pardon, meneer,' zei Lotje, 'mag ik eerst?'

'Wat?' zei de man.

'Of ik eerst in de vuilnis mag zoeken?'

De man zette een stap vooruit. Lotje draaide haar hoofd weg. Hoe kon iemand zo vreselijk ruiken?

'Ga ergens anders spelen, juffie! Of denk je dat ik dit voor mijn plezier doe?'

'Nee, meneer, maar…'

'Meneer? Ik ben geen meneer. Ik ben Jan Vuilbak en ik zoek iets te eten.'

Lotje wist zich geen raad. De man graaide met zijn twee

handen in de vuilnisbak, bekeek zijn buit en strooide daarna de vuilnis gewoon op de grond.

'Hé!' riep Pipo.

Hij zette zijn fiets tegen de bank. Lotje hoorde hem hijgen.

'Dat mag niet!' zei Pipo tegen Jan Vuilbak.

'En waar kom jij zo opeens uitgekropen? Zet je altijd zo'n grote bek op?'

Opnieuw regende het papier, piepschuimen hamburgerdozen, lege blikjes, verfrommelde sigarettenverpakkingen en andere viezigheid.

Jan Vuilbak gromde tevreden. Hij had een stuk stokbrood gevonden. Dat veegde hij schoon aan zijn vieze broekspijp en hapte erin. Kauwend wandelde hij weg. De rotzooi liet hij gewoon liggen. De twee kinderen keken hem ongelovig na.

'Kijk eens aan, moet je dit zien! Jullie weer?'

De opzichter was er opnieuw. Hij staarde naar de berg afval.

'Wat denken jullie wel?' snauwde hij.

'Meneer,' zei Lotje, 'dit hebben wij niet gedaan.'

'O nee? En wie dan wel? Ik zie hier niemand anders in de buurt!'

Dat klopte. Jan Vuilbak leek wel in de lucht opgelost.

'Opruimen, nu!'

'Maar meneer…'

Pipo gaf het op. Hij schraapte met zijn handen wat afval bij elkaar en gooide het terug in de bak. Lotje pikte wanhopig papiertje na papiertje op. Hoe moest ze in 's hemelsnaam een propje papier vinden tussen al die rotzooi?

De opzichter bleef zonder een woord toekijken. Pipo mompelde iets dat heel onvriendelijk klonk.

Toen zag Lotje opeens een heloranje papiertje. Aan de rand was het propje vlammend blauw. Lotje pakte het met koffie doorweekte propje op en stopte het in haar zak. Meteen begon ze net als Pipo met beide handen vuilnis te rapen.

'Mooi zo!' zei de opzichter toen ze het laatste blikje weer in de bak hadden gegooid.

'Voorlopig laten we het hierbij, maar de volgende keer krijgen jullie een boete. Respect voor de natuur is erg belangrijk!'

Hij fietste weg.

'Ik heb het', fluisterde Lotje.

'Echt? Laat zien!' Pipo huppelde van opwinding.

Lotje haalde het vochtige propje papier uit haar zak en peuterde het heel voorzichtig open. Daarna legde ze het op de bank en begon ze het met haar zakdoek droog te deppen.

Toen het papiertje netjes gladgestreken was, zagen ze duidelijk het nummer, rechts van een intussen wat verwelkt uitziende roos. L1234321!

3.

'Waar ben jij geweest? Ik hoorde je nog aan de telefoon en toen ik klaar was met douchen, was je verdwenen. Ik was doodongerust.' Mama keek Lotje boos aan. 'Ik heb je vader gebeld en ik wilde net de politie erbij halen. Waar was je toch?'

De deur zwaaide open en Lotjes vader stormde naar binnen.

'Wat krijgen we nu? Lotje, leg me dat eens uit. Ik moest een grote belangrijke klant alleen aan tafel achterlaten omdat jij verdwenen was en nu sta je hier?'

'Ze was verdwenen!' snauwde mama, die nog altijd in alle staten leek. 'Ik stond net onder de douche... en toen ik beneden kwam, was ze weg. De voordeur stond open!'

'Ik was in het park. Met Pipo.'

'En wat moest jij 's avonds met Pipo in het park?' vroeg papa streng.

'Ik ben 500.000 euro gaan zoeken die ik stomweg had weggegooid.'

De twee volwassenen staarden het meisje aan.

'500.000 euro?' vroeg papa.

'Weggegooid?' zei mama.

Lotje knikte en haalde het loterijbriefje te voorschijn.

Toen vertelde ze het hele verhaal. Van het gevonden mobieltje tot de boze opzichter in het park die dacht dat Pipo en zij rotzooi rondstrooiden.

'En dit zou dan het briefje zijn waarmee je dat geld hebt gewonnen? Waar haal je dat toch vandaan?'

'Dat beweert Pipo! Hij had het op het nieuws gezien. Ik niet. Hij moest ook naar huis.'

Papa keek op zijn horloge.

'Over iets meer dan twee uur weten we of je onzin hebt verteld of niet.'

'Twee uur?' vroeg mama.

'Het laatavondnieuws.'

'Er is toch teletekst?' piepte Lotje.

'Juist,' zei papa, 'niet aan gedacht.'

Het leek veel langer dan anders te duren voor het televisiescherm oplichtte. Bovendien stuntelde papa met de zapper. De zenuwen gierden door Lotjes lijf.

'Schiet toch op!' wilde ze schreeuwen toen haar vader maar niet leek te vinden waar ze de resultaten van de loterij ergens bekendmaakten.

Twee minuten later was het dan toch zover. Het nummer L1234321 had inderdaad de hoofdprijs van 500.000 euro gewonnen.

Lotje had verwacht dat haar ouders zouden beginnen te dansen, dat ze haar juichend fijn zouden knuffelen, dat ze champagnekurken zouden laten knallen, maar niets van dat alles.

'We moeten die meneer Malevitsj meteen bellen', zei papa doodkalm. 'Heb je zijn nummer, Lotje?'

'Juist,' knikte mama, 'ik vind ook dat we hem moeten bedanken. Lotje?'

'We moeten hem niet bedanken. We moeten hem zeggen dat we het loterijbriefje hebben en dat we het hem morgen terug zullen bezorgen. De man weet niet eens dat hij zoveel geld gewonnen heeft en als hij het wist, zou hij het briefje beslist terug willen.'

Als er een ruimtetuig in de kamer geland was, had Lotje niet verbaasder kunnen kijken. Haar mond viel open.

'Wat?' vroeg ze toen ze hem weer had dichtgeklapt.

'Ik hoop dat je niet dacht dat je dat geld kon houden?'

'Nee?' vroeg Lotje. 'Waarom niet? Ik heb het briefje toch eerlijk gekregen? En meneer Malevitsj zei zelf nog dat ik er rijk mee kon worden.'

'Juist. En toen lachte hij, is het niet? Omdat hij zichzelf bijzonder grappig vond. Niemand geeft zomaar 500.000 euro aan een kind dat hij niet kent.'

Lotje begreep haar vader helemaal niet meer. Ze keek naar haar moeder, maar die haalde haar schouders op.

'Oké! Maar waarom wil je dat geld niet, papa? Waarom?'

'Vertel jij eens waarom je het wél zou willen. Om indruk te

maken op je vriendjes? Dan heb je al heel gauw geen vrienden meer. Tot eergisteren liep je hier te zingen. Dus zo ellendig was je leventje niet. Dat kan het dus ook niet zijn', zei papa.

'Wat moet ik morgen op school zeggen?' kreunde Lotje. 'Ze denken dat ik met geld zal strooien!'

'Nooit de huid van de beer verkopen voor je hem gevangen hebt?' stelde papa voor.

O, wat een troost, dacht Lotje somber.

'Het telefoonnummer, Lotje?'

Lotje schudde koppig haar hoofd. Papa kon toch niet menen dat…

'Telefoonnummer!'

'Heb ik niet,' kreunde Lotje, 'want Pipo heeft gebeld. Ik weet niet eens of hij het nummer nog heeft. Papa, kunnen we dat geld echt niet houden? Ik heb Pipo beloofd dat hij de helft krijgt.'

'Lotje!'

'En, papa, ik zal ook veel weggeven aan…'

'Lotje, hou erover op. Dat geld gaat naar de eigenaar van het briefje.'

'Dat ben ik toch! Gegeven blijft toch gegeven? Dat zeg je altijd zelf.'

Lotje voelde dat ze echt, vreselijk, gloeiend boos werd.

'Lotje!'

'Pipo…'

Papa werd zoetjesaan even boos als Lotje.

'Geen nummer? Goed, pak het telefoonboek. Nu!'

Geen spoor van Malevitsj, wel van een 'Mallevis en zoon, hengelsport' en al helemaal niet van Vladimir.

'Oké, of je vraagt morgen dat nummer aan Pipo, of je gaat na schooltijd naar de Beukenlaan en brengt het briefje terug.'

Lotje voelde de tranen achter haar ogen prikken.

'Papa, alsjeblieft. We kunnen een hoop leuke dingen doen

met dat geld. En ik heb het eerlijk verdiend.'

Papa sloeg boos met zijn hand op de tafel.

'Genoeg daarover. Je brengt morgen dat briefje terug. En nu naar bed!'

Lotje schuifelde naar de deur.

'Slaap lekker, Lotje.'

Het meisje haalde haar schouders op. Hoe kon ze slapen als ze wist dat haar vader gek was geworden? Ze vertikte het om haar tanden te poetsen en ze liet haar kleren gewoon op de vloer liggen. Phuh!

Toen ze 's morgens wakker werd, was ze meteen weer boos. Waar haalde haar vader het vandaan om zo'n hoop geld gewoon weg te gooien? En die Malevitsj had het niet nodig. Hij had zelf gezegd dat hij schatrijk was. En zij hier in huis? Niet dat ze arm waren, maar papa zei altijd dat wat mama verdiende aardig meegenomen was.

Aan het ontbijt hapte Lotje een boterham weg. Ze pakte haar schooltas. Hé, had papa die lekke band gisteren toch nog hersteld? Ze wilde net wegfietsen toen mama kwam aanhollen.

'Lotje!'

Mama wuifde met een enveloppe.

'Hier! Bijna vergeten. En van de Beukenlaan meteen naar huis. Dag, lieverd.'

Lotje zuchtte en schoof de enveloppe met het loterijbriefje in haar schooltas. Ze fietste traagjes. De school lag aan de rand van de stad langs een hellende straat. Hij was nieuw, met veel glas en hout. Je kon het schoolplein vanaf de straat zien. Op de bankjes zaten de meisjes vaak te kletsen terwijl de jongens verderop liepen te voetballen. Af en toe speelden ook enkele meisjes mee. Dan sloofden de jongens zich vreselijk uit.

Toen Lotje de Schoolstraat in reed, zag ze al van ver dat vanmorgen alles anders was.

4.

'Daar is ze!'

Zodra Lotje van haar fiets stapte, dromde de hele klas om haar heen. Er kwamen nog meer kinderen aanhollen. Ze kakelden allemaal door elkaar over dat loterijbriefje. Lotje snapte er geen biet van. Hoe wisten die kinderen daarvan af? Tot ze het grijnzende gezicht van Pipo zag. O nee! Die had natuurlijk alles rondgebazuind.

'Pipo!'

'Cool, niet? Iedereen wordt gek. Ik heb gisteren thuis alles verteld. Mijn oom Kristof was er ook. Hij is niet echt een oom, maar ik noem hem "oom", snap je?' ratelde de jongen.

'Pipo, wat heb ik met die oom die geen oom is te maken?' snauwde Lotje.

'O, hij werkt bij de krant. En ze komen straks foto's maken. Van jou en van mij. Oom Kristof heeft gezegd dat het een "ongelooflijk verhaal" is. Zo zeggen ze dat bij een krant. En dan komt het misschien op de televisie.'

Pipo struikelde over zijn woorden van opwinding. En hij lispelde meer dan ooit.

'Pipo, je bent een ongelooflijk stomme kippenkop!'

Lotje duwde haar fiets tussen de verbaasde kinderen door, richting fietsenrek. Ze mompelde de lelijkste woorden die ze maar kon bedenken.

Gelukkig ging enkele tellen later al de bel. In de klas werd het er niet beter op. Voortdurend zat er wel iemand naar haar te staren of te knipogen. Tot de juf wilde weten wat er aan de hand was.

'Lotje is rijk en ik ook!' schreeuwde Pipo. 'Mag ik het vertellen, juf?'

De juf fronste haar voorhoofd.

'Heeft Lotje soms haar tong verloren? Kan ze het niet zelf vertellen? Lotje?'

'O, niks, juf. Ik heb een loterijbriefje gekregen van iemand. Daarop staat toevallig het winnende nummer.'

De hele klas sloeg aan het juichen.

'Mond houden!' schreeuwde de juf eroverheen. 'Ik hoor mezelf niet eens meer praten. Dat was beslist een grote verrassing, niet, Lotje? En wat zeiden ze thuis?'

Het meisje haalde haar schouders op.

'Mag je dat geld zelf houden?' vroeg Marjan.

'Nee, ik krijg de helft!' riep Pipo. 'Omdat ik haar geholpen heb.'

Lotje voelde zich ellendig. Dit ging fout, helemaal fout! Als ze wisten wat haar vader haar liet doen, zou iedereen denken dat hij gek was geworden. Het geroezemoes in de klas viel opeens helemaal stil. Toen Lotje opkeek, stond de directeur bij de juf. Hij leek erg opgewonden.

'Goed', zei de juf duidelijk verstaanbaar. 'Over tien minuten in het toneellokaal?'

De kinderen keken vragend naar de juf en naar elkaar.

'Schriften dicht. Ruim je tafel op.'

Eén ding was zeker: er stond iets te gebeuren. Mirabelle, die bij het raam zat, had het als eerste in de gaten.

'Juf, er rijden auto's op het schoolplein en o, daar komt zo'n grote auto van Flux, van de televisie!'

Meteen stormde de hele klas naar de ramen. Alleen Lotje bleef zitten. Ze verborg haar gezicht in haar handen en schudde haar hoofd. Ook dat nog!

Opeens sprong ze op en liep naar de deur.

'Krampen, juf!' kreunde ze. 'Ik moet…'

De juf stond meteen bij Lotje en legde een hand op haar schouder.

'Kelly? Loop eventjes met Lotje mee. En, Lotje, het valt heus wel mee, hoor! Je hoeft echt niet bang te zijn.'

Lotje grijnsde en holde weg. Kelly kwam achter haar aan. Toen Lotje de hoek om kwam, liep ze tegen een cameraman op. Hij droeg een indrukwekkende camera op zijn schouder. Achter hem kwam een graatmager meisje. Ze stak een harige prop op een stok in de hoogte. Toen de cameraman uitweek, struikelde de directeur, die naast hem liep. Hij moest zich aan een kapstok vasthouden.

'Wat doe jij hier?' vroeg hij.

'Ik heb krampen. Hier', kreunde Lotje nog maar eens.

'Dit is het meisje', zei de directeur tegen de cameraman.

'Oké. Kan ze nog een keertje komen aanlopen? Hier de hoek om. Wacht eventjes.'

De cameraman liep enkele stappen terug.

'Lotje, eventjes teruglopen, glimlachen en hierheen… Lotje?'

Het meisje rende weg, dook de gang met de toiletten in en klapte de deur achter haar dicht.

'Wat moet ik toch doen?' zuchtte ze.

Kelly maakte de ene deur na de andere open en gooide ze weer dicht.

'Lotje, je moet voortmaken. Ze wachten op je in het toneellokaal. Iedereen is daar. Van de kranten en van de televisie en de hele klas ook nog.'

Lotje knikte. Goed, dat moest dan maar.

Als iemand haar vragen stelde, zou ze gewoon zeggen dat haar vader een tikkeltje gek was, maar dat hij verder een heel lieve papa was. En geld maakt niet gelukkig. Lotje kreunde opnieuw. Wat een onzin!

Ze liet het grendeltje van de toiletdeur omtuimelen en liep zonder omkijken naar het toneellokaal.

De cameraman was een doorzetter. Hij wachtte haar op in de gang, zakte op één knie en liet zijn camera zoemen. Lotje deed alsof ze niets merkte. Toen ze het toneellokaal binnen-

stapte, begonnen haar klasgenoten te juichen. Pipo het hardst van allemaal. Zelfs de juf deed mee.

Pipo, het ondier! Allemaal zijn schuld. Lotje grijnsde. O, ze verlangde er al naar om zijn gezicht te zien als ze zo meteen vertelde dat ze het loterijbriefje zou terugbrengen. Eens kijken of ze dan nog zouden juichen. De directeur gaf haar een hand en hielp haar het podium op. Ze moest achter een tafeltje gaan zitten. Overal flitsten camera's. De directeur stak zijn handen in de lucht.

'Dank u, dank u! Een beetje stilte graag. Welkom iedereen op deze kleine persconferentie in onze fijne school. We hebben jullie samen uitgenodigd om al te veel drukte te vermijden. Rust is belangrijk bij het leren. Over een uurtje gaan we gewoon door met de lessen. Tot dan mogen jullie de leerlingen van onze school vragen wat jullie willen.'

De directeur kwam naast Lotje zitten. Het meisje keek naar de journalisten in het toneellokaal, maar alle gezichten waren wazig, net alsof ze door een bewasemde ruit keek. Haar maag leek zichzelf in een knoop te draaien.

'Hoe kreeg je het winnende loterijbriefje precies in handen?' vroeg iemand.

Dat was een makkie. Lotje vertelde over het mobieltje en…

'Dus je had er echt geen idee van dat je de hoofdprijs in handen had?' vroeg een andere journalist.

'Nee, ik was zelfs een beetje boos. Ik heb het briefje weggegooid omdat Pipo zei dat het een oud briefje was.' Lotje voelde zich opgelucht. Voorlopig geen vervelende vragen. Oef!

'Wie is Pipo?' vroeg een mevrouw.

'Ikke!' riep de jongen en hij begon met zijn armen te zwaaien. Meteen flitsten alle camera's in zijn richting. 'En toen hebben we het briefje uit een vuilnisbak gehaald. Het was stinkend vies. Maar geld stinkt niet, zegt mijn vader altijd.'

Een hoop mensen lachten. De klas applaudisseerde en Pipo groette zijn publiek met een buiging. Lotje had heel eventjes een hekel aan hem.

'Wat dacht je toen je hoorde dat je had gewonnen?' vroeg de journalist die de eerste vraag had gesteld.

'Niets!' zei Lotje. 'Ik dacht niets.'

'Heb je dat briefje al bij de loterij ingeleverd?' vroeg een lange, magere vrouw met een veel te grote bril.

'Nee, het zit in...' Lotje klapte haar mond dicht. Toen knipperde ze twee keer met haar ogen. 'Ik breng het vanavond weg.' Iedereen zat ijverig te pennen. De kinderen van de klas genoten duidelijk. De juf stak bemoedigend haar duim op.

'Denk je dat je gelukkiger zult zijn met al dat geld?' Opnieuw een vraag van de dame met de bril.

'Dat weet ik nog niet', ontweek Lotje de vraag. 'Ik heb het geld nog niet.'

'Als je het hebt, wat ga je er dan mee doen?' vroeg een man met een geweldige grijze snor.

De cameraman knielde nu vlak voor Lotje neer. Ze keek in de lens. Op de camera floepte een rood lampje aan.

'Misschien geef ik het briefje wel terug aan die meneer', zei ze.

In de zaal begon iedereen te lachen. Lotje keek naar Pipo. Die tikte met zijn wijsvinger tegen zijn voorhoofd. De camera zwenkte naar de kinderen van de klas. Lotje zwaaide voorzichtig naar de mensen in de zaal. De directeur snapte het en stond op. Hij bedankte iedereen.

'Nu is het weer tijd voor het gewone leven', zei hij.

Lotje ademde enkele keren diep in en uit. Het was voorbij. Of toch niet helemaal? Want terwijl ze naar buiten liepen, wilden enkele journalisten van Pipo en de anderen weten wat zij met het geld zouden doen. Geen van de kinderen dacht eraan om het loterijbriefje terug te geven aan de milde schenker.

Lotje keek nu al veel minder tegen de rest van de dag op. Misschien kwam het toch nog allemaal goed.

Toen de bel ging voor het speelkwartier, liep Mirabelle samen met Lotje naar buiten.

'Wil je een koekje?' vroeg Mirabelle.

Lotje knipperde met haar ogen. Had Mirabelle het tegen haar?

'Koekje? Ik?' vroeg ze.

'Ja,' zei Mirabelle die Lotje een pakje voorhield, 'als je wilt, neem je er maar een of twee. Lekker hoor. Van Maalsteen, en dat is een heel duur merk.'

Met voorzichtige vingers peuterde Lotje een koekje uit de verpakking.

'Gezond ook. Met granen en exotische vruchtjes.'

Lotje wilde het koekje al helemaal in haar mond stoppen toen ze merkte dat Mirabelle zuinig een muizenhapje nam.

'Wil je soms bij het clubje komen?'

De vader van Mirabelle was een hoge pief bij een bank en had zijn dochter geleerd om niet om de problemen heen te draaien. 'Recht op de man of de vrouw af, meisje! Dat zijn de meesten niet gewend.'

Het klopte, want Lotje verslikte zich in haar koekje. De leden van het 'clubje' waren niet echt talrijk, amper vier meisjes mochten erbij. Ze klitten altijd en overal samen. Ze hadden altijd de nieuwste spulletjes. Ze werden na schooltijd door slanke, gebruinde mama's opgehaald in blitse wagens. Ze gingen elk jaar drie keer of meer met vakantie, meestal naar plekken met heel vreemde namen. Ze waren gewoon anders en ze voelden zich ook zo.

'Ik?' vroeg Lotje. 'Bij het clubje?'

Mirabelle knikte. Delphine kwam erbij en Claire.

'Waar is Susanne?' vroeg Mirabelle.

'Pff! Die moest het bord schoonmaken. Denkt juf soms dat wij schoonmaaksters zijn?'

'Mag Lotje bij het clubje?' vroeg Mirabelle opeens, zonder omwegen.

Claire keek naar Delphine en samen keken ze naar Lotje.

'Mij best', zei Delphine. 'Alleen, ik weet... o, niets.'

Net op dat ogenblik kwam Pipo aanstormen.

'Lotje, wanneer gaan we...' Hij zweeg toen hij de ijzige gezichten van de meisjes zag. 'Lotje?'

'Zie je niet dat we aan het praten zijn?' vroeg Claire en ze bekeek Pipo alsof hij iets vies was dat op de grond lag.

'Rot op, jong!' snauwde Mirabelle brutaal.

Lotje zei niets. Ze voelde zich echt niet lekker, maar als ze bij het clubje wilde horen, moest ze misschien af en toe iets wegslikken.

'Ik zie je...' probeerde Pipo nog.

Delphine pakte de arm van Lotje beet en samen slenterden ze naar Susanne, die net naar buiten was gekomen. Daarna gingen ze richting toiletten. Gek toch dat ook de meisjes van het clubje af en toe heel gewone dingen moesten doen. Al kon ze zich niet meteen voorstellen dat Mirabelle zo dadelijk een windje zou laten. Lotje giechelde bij het idee alleen al.

'Wat?' vroeg Claire.

'O, niets!' loog Lotje. 'Ik dacht aan die Vladimir en het gezicht dat hij zal trekken als hij me vanavond op televisie ziet.'

De vier andere meisjes giechelden ook en verdwenen toen in de toilethokjes. Lotje was als eerste weer buiten.

'Lotje,' vroeg Susanne opeens, 'ik heb er nooit eerder over nagedacht, maar is Lotje je echte voornaam? Of is het Charlotte?'

Lotje schrok.

'Charlotte', knikte ze haastig. 'Mijn vader is begonnen met me Lotje te noemen. Ik heb er eigenlijk een hekel aan.'

Opeens vond Lotje zichzelf een tikkeltje laf. Ze duwde de gedachte meteen weg. Vroeger, voor ze zelf rijk was geworden, had ze vaak genoeg gewenst om bij het clubje te horen. Dus moest ze nu niet zeuren. Zelfs haar vader zou het leuk vinden als ze nieuwe vriendinnen maakte.

'Willen jullie het loterijbriefje zien?' vroeg ze. 'Ik wilde het niet aan de anderen tonen, maar als ik bij het clubje ben…'

'Heb je het hier?' vroeg Delphine.

'Echt?' fluisterde Claire toen Lotje knikte.

'Ik haal het!'

Juf vond het meteen goed toen Lotje vroeg of ze iets uit de klas mocht halen. Gek hoe alles meteen anders leek. Geld maakte dus misschien niet gelukkig, het maakte een hoop dingen wel gemakkelijker.

Lotje holde naar de klas, viste de enveloppe uit haar tas en stopte die onder haar truitje. Het clubje stond al te wachten bij de deur naar het schoolplein. Toen het briefje te voorschijn kwam, slaakten ze opgewonden gilletjes. De bel maakte wat later een einde aan hun gekwetter.

'Ga je vanmiddag met me mee? Dan kunnen we samen lunchen', zei Mirabelle haastig. 'Mama vindt het beslist goed.'

'Ja, je kunt nu toch niet meer gewoon boterhammen eten met die andere kinderen', zei Claire nog net voor ze de klas in moesten.

Lotje duizelde ervan. Lunchen? Geen boterhammen meer? Ze kon maar beter niet vertellen dat ze een boterham met banaan en pindakaas in haar brooddoos had zitten. Als je bij het clubje hoorde, kon dat niet.

De rest van de ochtend was Lotje behoorlijk verstrooid. Het was allemaal zo anders, zo onbekend. Wat zouden ze eten als lunch? Het moest beslist iets anders zijn dan boterhammen, niet?

Mevrouw Durique keek vreemd op toen ze haar dochter Mirabelle met een onbekend meisje zag aankomen. Het kind had een leuke snoet, maar droeg een T-shirt en een jeans uit een van die vreselijk ordinaire winkels. Dat kon ze zo zien.

'Mama, dit is Charlotte, een nieuwe vriendin van me. Is het oké dat ze mee gaat lunchen?'

Mevrouw Durique wrikte haar mond in een glimlach.

'Geen probleem. We hebben een salade met gerookte eendenborst en aspergepunten. Lust je dat, Charlotte?'

Lotje knikte. Ze had geen flauw idee hoe eendenborst smaakte, maar als Mirabelle het te eten kreeg, moest het wel lekker zijn.

'Heerlijk, mevrouw.'

5.

Lotje stapte uit de auto. Ze geloofde haar ogen niet. Het huis van de familie Durique was enorm.

'Zes slaapkamers,' zei Mirabelle, 'allemaal met eigen badkamertje natuurlijk.'

Links schitterde de zon op een niervormig zwembad. Rechts lag een weide waarin vier glanzende paarden graasden.

'Die gevlekte is mijn paard, Tonto', zei Mirabelle. 'Rijd jij ook?'

'Graag', zei Lotje maar.

'Kom toch binnen', zei mevrouw Durique. 'Wil je eerst je handen wassen? Mira, wijs je vriendin waar de kleine badkamer in de hal is.'

Mevrouw bleef staan voor een spiegel en schikte met spitse vingers haar kapsel.

Mirabelle ging voor. Kleine badkamer? Lotje vroeg zich af wat de grote dan wel moest zijn. Ze waste haar handen met hemels geurende zeep en droogde ze af met een handdoekje dat ze van een stapeltje nam.

'Gooi maar in die mand', zei Mirabelle, die merkte dat Lotje een haakje zocht om het handdoekje op te hangen.

Eén keer gebruiken en de wasmand in? Dat moest ze mama vertellen.

De lunch werd opgediend in wat mevrouw Durique de tuinkamer noemde. Lotje tuimelde van de ene verbazing in de andere. Die tuinkamer had muren van alleen maar glas en één daarvan kon helemaal worden opengeschoven. Het gemillimeterde gazon, de bloeiende struiken, de bemoste beelden her en der en de regenboogjes boven de twee fonteinen... Ze raakte er niet op uitgekeken.

'Smakelijk eten.'

Een jonge vrouw bracht drie borden met sla, asperges en flinterdunne lapjes vlees. Ze hield Lotje een mandje voor met warme broodjes.

'Conchita, breng ook een karaf sinaasappelsap', zei mevrouw Durique verveeld. 'Ze is lief, maar je moet haar alles twee keer uitleggen.'

Lotje keek eerst eventjes de kat uit de boom. Zoveel was zeker, lunchen was niet gewoon maar eten. Je moest blijkbaar een brokje brood afscheuren, niet snijden. Ze nam een hapje vlees. Mmmm! De eendenborst smaakte super.

'En, Charlotte, wat doen jouw ouders zoal?'

Traagjes kauwde Lotje haar mond leeg. Zo kreeg ze de kans om eventjes te denken.

'Mijn vader verkoopt schilderijen en andere oude dingen. Mama werkt op een advocatenkantoor.'

Oei, dat laatste leek fout. Mevrouw Durique knikte zuinigjes. Zelf werkte ze niet. Ze had haar handen vol met het huis, de tuin, de bedienden en haar dochtertje. Mirabelle glimlachte en prikte in haar slaatje. Conchita bracht het sinaasappelsap in een bedauwde kristallen karaf. Ze aten en dronken. Opeens legde Mirabelle haar vork neer.

'Mama, mag ik Charlotte meenemen naar mijn kamer? Ik heb geen honger meer.'

Lotje keek een beetje spijtig naar de rest van haar slaatje. Hopelijk kon ze later op school nog stiekem een boterham met banaan en pindakaas eten. De lunch zou niet in de weg zitten.

De kamer van Mirabelle maakte dat Lotje zich opnieuw heel kleintjes voelde. Mirabelle had leuke houten meubeltjes, een heuse kaptafel met potjes en flesjes en…

'Mijn garderobe!' zei het meisje terwijl ze een grote kast opengooide.

Meteen wist Lotje dat een garderobe eigenlijk een gewone kleerkast was. Nu ja, gewoon, Mirabelle schoof de ene jurk na de andere opzij.

'Dit is een Gucci-jurkje. Wil je het eens passen?'

Het jurkje was een zacht lila dingetje met een kraagje en een ceintuurtje in een donkerder tint. Het had korte pofmouwtjes.

'Passen? Ik?' vroeg Lotje.

'Ja, waarom niet? We zijn toch even groot. En je bent ook slank. O, als ik sommige van die meisjes op school zie, met hun vetrolletjes en hun dikke billen. Ik word er niet goed van!'

Jaja, dacht Lotje. Ik wil best zo'n jurkje passen, maar dan moet ik wel mijn eigen kleren uittrekken. En wat zul jij dan denken van mijn heel gewone slipje, met hondjes erop? Mirabelle zou beslist ondergoed dragen zoals die meiden uit de modebladjes. Lotje had het al vaker gezien als ze zich voor gym moesten omkleden.

'Toe maar!' zei Mirabelle.

Zelf gooide ze haar kleren uit en stapte in een pistachegroen frullerig dingetje. Haastig trok Lotje het Gucci-jurkje aan. Zalig voelde het aan.

'Waarom draag je deze kleren niet om naar school te gaan?' vroeg Lotje.

Mirabelle tikte op haar borst. 'Dior', las Lotje. De letters waren gevormd uit glitterende lovertjes.

'Als de anderen dit zien, doen ze nijdig', zei Mirabelle.

Lotje draaide om en om voor de grote spiegel. Nooit had ze zich zo mooi gevoeld. Het leek wel alsof ze anders bewoog, alsof ze anders keek. O, papa, waarom wil je niet dat ik zulke kleren heb?

Mirabelle haalde nog meer spulletjes uit de garderobe. Lotje paste, bewonderde, gaf commentaar en genoot.

Na een poosje lag de kamer vol met jurken, T-shirts, luxejeans en popperige truitjes. Maar Lotje vond het Gucci-jurkje nog altijd het mooiste.

Mevrouw Durique riep wat later dat de meisjes moesten voortmaken.

'Laat maar liggen,' zei Mirabelle, 'Conchita zal het wel opruimen.'

Toen de meisjes uit de grote, glimmende wagen stapten, stonden vier klasgenootjes te kijken. Mirabelle liep langs ze heen alsof ze lucht waren. Lotje probeerde het ook. Het lukte niet echt.

'Hoe was het?' vroeg Kim, die naast haar meetrippelde.

'Gewoon, we hebben geluncht en kleren gepast.'

'O! Vertel, kom Lotje, vertel!'

'Ik heb toch gezegd dat het gewoon was? Ik zal het je later wel vertellen. Oh, daar zijn de anderen al.'

Meteen was Joke er ook. En Tania. En Winnie. Allemaal wilden ze haar vriendinnetje zijn. En allemaal wilden ze weten of ze met het geld iets zou doen voor de hele klas. Ze hadden er duidelijk over gepraat. Ze hadden zelfs al voorstellen klaar.

'Waarom niet met z'n allen naar een pretpark?' vroeg Joke.

'Nee, mens! Samen op skivakantie. Da's veel leuker!' wist Tania.

Kim wilde voor elk kind in de klas een computer. Winnie dacht meer aan een week lang elke middag samen naar een hamburgertent.

Lotje luisterde, knikte en zei met een aarzelend glimlachje dat ze erover zou nadenken. Ze was opeens ontzettend populair.

Maar niet bij iedereen. Er was ook nog het groepje dat altijd bij brutale bek Fien rondhing en die had al een grapje gevonden.

'Wisten jullie al dat Lotje dat geld gaat verdelen onder de armen?' vroeg ze.

Toen iedereen verbaasd opkeek, hikte Fien van het lachen.

'Ja hoor, onder haar linkerarm en onder haar rechterarm!'

Flauw, hoor, vond Lotje.

Pipo liep er wat verloren bij. Hij had duidelijk iets anders verwacht.

De middag duurde eindeloos. Gelukkig moesten ze een heleboel oefeningen maken en bleef iedereen stilletjes doorwerken.

'Moet je met de fiets naar huis?' vroeg Susanne. 'Niet bang dat ze je zullen kidnappen of zo?'

Lotje haalde haar schouders op.

'Valt wel mee. Ik ga nu met de fiets naar huis, en vanavond gaan we waarschijnlijk shoppen.'

Dat antwoord sloeg nergens op, maar Susanne vroeg niet verder. Lotje kreeg het steeds benauwder. Het liep helemaal uit de hand. Wat moest ze de volgende dag zeggen als ze dat loterijbriefje had teruggebracht? Nee, dat kon ze gewoon niet. Haar vader moest begrijpen dat het niet kon. Hij moest!

Pipo haalde haar in bij de hoek van de Schoolstraat.

'Wat had jij vandaag?' vroeg hij.

Lotje keek hem woest aan en kneep haar remmen dicht. Pipo schoot nog een eindje door.

'Wat? Ik? Wat had ík? Wie is er zo stom geweest om iedereen over dat loterijbriefje te vertellen?'

'Iedereen?' verdedigde Pipo zich. 'Ik heb het alleen thuis verteld. Kan ik het helpen dat mijn oom er was? Hij heeft alles doorverteld. Waarom ben je dan boos op mij? En moet je daarom met die truttige meiden van het clubje aanpappen? Gisteren noemde je ze zelf nog tuttebellen.' Pipo mepte op het stuur van zijn fiets. 'Je had jezelf moeten horen. Lunchen en kleren passen. Je zult wel veel gegeten hebben. Of dacht je dat ik niet gezien heb dat je in de klas stiekem nog wat boterhammen hebt gegeten?'

Lotje hapte naar adem.

'Zit je dan de hele tijd naar me te kijken?'

Pipo gromde wat.

'En toch is het allemaal jouw schuld!' snauwde Lotje.

'Je zegt maar wat', zei Pipo. 'Hoe kan het nu mijn schuld zijn? Waarom doe je zo rot?'

'Omdat, Pipo, ik niet weet wat ik moet doen. Mijn vader wil dat ik dat briefje teruggeef aan Malevitsj. Snap je het nu?'

'Huh?' deed Pipo. 'Echt? Teruggeven?' De jongen krabde in zijn haar. 'Is je vader op zijn hoofd gevallen of zo? Door een dolle rat gebeten?'

'Weet ik niet. Maar als hij zegt dat het moet, moet het ook.'

Pipo floot zachtjes. Het drong nu pas echt tot hem door.

'We worden dus helemaal niet rijk?'

'Nee! En kun je je voorstellen hoe ze me zullen uitlachen? Ik moet er niet aan denken om dat in de klas te vertellen. Ik ga nog liever dood…'

Zelfs Pipo wist niets meer te zeggen.

'Snap je nu waarom ik boos ben? Jij zou het ook zijn, toch?'

Pipo knikte. Hij ging op zijn pedalen staan en reed weg.

6.

Lotje haalde een pak melk uit de koelkast. Ze at ook een stevige koek uit een blikken trommel. Heel wat anders dan die flinterdunne dingen van Maalsteen. Stik! Nu dacht ze toch alweer aan Mirabelle en de meiden van het clubje. Ze kon maar beter eerst in haar kamertje huiswerk maken. Ze moesten een opstelletje schrijven met als titel 'Wie ben ik?'. De juf dacht dat ze het leuk zouden vinden. Fien had natuurlijk haar scherpe tong geroerd.

'Voor sommigen is het leuk. Die mogen nu eens over een interessant iemand schrijven!' had ze geroepen.

Zowat iedereen had begrepen wie ze daarmee bedoelde. Lotje had gemerkt dat Claire heel boos was geworden.

Oké, wie was zij? Ze stond op van haar schrijftafel en ging voor de spiegel staan. Een gewone spiegel om haar haar te kammen, haar gezicht te wassen, haar tanden te poetsen. Niet zo'n pronkstuk als de spiegel in de kamer van Mirabelle…

Ze stak haar tong uit naar haar spiegelbeeld. En opeens had ze het! Ze ging aan haar tafel zitten en schreef in één ruk een versje.

Hé, wie is dat meisje daar
met dat donker, krullend haar?
Met tien vingers aan haar handen
en een beugel om haar tanden?
Met tien tenen aan haar voeten
en een neus met zomersproeten?
Met twee oren en twee ogen…

Lotje viel stil. Wat rijmde er op ogen? Gebogen, regenbogen, gelogen…

Ze schudde haar hoofd en schrapte de laatste regel.

Ja, wie mag dat meisje zijn?

Niet te groot of niet te klein,
niet te dun of niet te dik…
Kijk eens aan zeg, dat ben ik!

Ze las tevreden wat ze geschreven had. Toen hoorde ze de stem van haar moeder.

'Lotje?'

'Ja, mama!'

Ze deed haar schrift dicht en liep de trap af. Hé, dat was ongewoon. Papa maakte altijd lange dagen en nu was hij al meteen na schooltijd thuis. Ze hoorde hem nog zeggen dat hij meteen weer weg moest. Hij kwam gewoon andere kleren aantrekken. In de vooravond kwamen bijzonder belangrijke klanten kijken naar de aanbieding in de veiling. Hij moest waarschijnlijk ook nog een hapje met ze gaan eten. Lotje stond in de deur van de huiskamer.

'En hoe was de dag?'

Papa vroeg elke dag hetzelfde. Maar deze keer was het antwoord van Lotje wel helemaal anders.

'Fantastisch!' loog Lotje. 'De televisie was er en…'

'Televisie?'

'Ja, papa, echt waar en wel tien mensen van de kranten. En fotografen ook', knikte Lotje vol overtuiging.

'Op school?'

Lotje merkte best dat haar vader geen biet van haar verhaal snapte.

'Ja, op school!'

'Was er dan iets speciaals?' vroeg mama.

'Ja,' zei Lotje, 'ik en dat loterijbriefje.'

Vijf tellen lang bleef het stil.

'Hoe wist…' Papa kreunde alleen nog. Hij had wel wat ervaring met de media.

46

'Pipo heeft alles thuis verteld. Dat moet toch, niet, papa? Een oom van hem was daar en die werkt voor een krant. Die heeft het allemaal doorverteld.'

Papa plofte neer op een stoel.

'En toen zei ik dat ik het briefje zou terugbrengen…'

'Mooi,' knikte papa, 'heb je dat al gedaan?'

'Nee! Mag ik eventjes uitspreken?'

Dat zinnetje hoorde ze vaak als haar ouders het niet eens waren over iets. Papa keek haar onderzoekend aan.

'Zeg het maar', bromde hij.

'Toen ik zei dat ik dat briefje zou terugbrengen, begon iedereen tegen me te brullen dat ik gek was.'

Papa bleek helemaal niet onder de indruk.

'Beter gek dan oneerlijk', zei hij.

Die woorden deden bij Lotje de stoppen doorslaan.

'Oneerlijk? Ik had dat briefje gekregen omdat ik zo eerlijk was en dat mobieltje terugbracht. Ja, ik heb het eerlijk gekregen! En ik wil niet dat ze me gek noemen.'

Mama keek Lotje met open mond aan. Wat was er met dat kind gebeurd? Zo deed ze anders nooit!

'Lotje!'

'Ik heet Charlotte!' krijste het meisje. 'Ik wil dat jullie me Charlotte noemen.'

'Wat?'

'Ja, Lotje is een naam voor… Daarmee kan ik niet bij het clubje. En ik wil dat geld houden. Ik wil ook leuke kleren. Altijd als ik iets tof vind, zeg jij dat het niet mag, dat het te duur is. Altijd! Nooit kopen we iets…'

'Genoeg!' brulde papa haar stil. 'Je hebt alles wat je nodig hebt, ook al hebben we geen geld te geef.'

'Dat hebben we wél als je me dat briefje laat houden. Dan kan mama ook een auto nemen.'

'Lotje, fijn dat je aan me denkt, maar ik vind de fiets best, hoor', probeerde mama Lotje te sussen. 'En als het weer te slecht is, ga ik met de bus.'

Het werkte niet. Lotje werd bij elk woord nog woedender.

'Wanneer krijg ik dan eens nieuwe kleren?'

'Je hebt net nog drie nieuwe T-shirts gekregen. Je was er zo blij mee', zei mama.

'Nieuw? Ze kwamen van Els, mijn nichtje dat eruit was gegroeid. Dacht je dat ik dat niet zou ontdekken? Ja, je hebt ze in
een tasje van Bellefille gestopt. Je hebt alleen niet gemerkt dat
aan de achterkant van het etiketje ELS stond geschreven.'

Deze keer moest mama gaan zitten.

'Ik haat het dat we elke euro hier omkeren!' raasde Lotje
door. 'Ik wil dat geld!'

Toen niemand reageerde, pakte ze een peer uit de fruitschaal
en gooide die tegen de muur. Nu reageerde papa wel. Hij pakte haar bij haar nek en dwong haar op een stoel.

'Nu is het genoeg geweest. Wat heb jij toch? Goudkoorts of
zo?'

'Niks! Niks heb ik. En als ik toch iets zou kunnen hebben,
mag het niet!'

Lotje voelde haar woede wegzakken. Als papa had gevloekt
of haar een mep had gegeven, was het anders geweest. Maar
nee, hij bleef zo akelig kalm.

'Lotje, weet je aan wie je me doet denken? Aan die peuter
die in de supermarkt krijsend op de grond lag te trappelen
omdat hij geen koekjes kreeg.'

Lotje schudde haar hoofd. 'Zal wel. Maar hij kreeg ze dan
toch maar.'

'Juist en toen zei mijn verstandige dochter dat die moeder
gestoord was. Als ze toegaf, zou die peuter elke dag meer en
harder krijsen. Weet je het nog?'

Lotje zuchtte. Hier kon ze niet tegenop.

'En nu eten jullie. Ik kleed me om en vertrek. Na het eten
fiets jij naar de Beukenlaan. Afgesproken, Lotje?'

Het meisje knikte. Wat een ellende. En nu had ze ook nog
herrie met Pipo. Ze sprong op.

'Mag ik eerst eventjes bellen?'

Het leek wel alsof mama gedachten kon lezen.

'Pipo?'

Lotje knikte.

'Doe maar', zei mama.

Lotje nam de looptelefoon mee naar een andere kamer.

'Ze heeft het er vreselijk moeilijk mee', zei mama toen de deur dicht was.

'Dat begrijp ik. Maar het kan gewoon niet. Die smak geld zou ons leven helemaal veranderen en dat wil ik niet. Jij wel?'

Mama antwoordde niet, maar gaf haar man een sprekende zoen.

7.

'Goedemiddag, mevrouw. Mag ik Pipo eventjes? U spreekt met Lotje.'

'O!' zei mevrouw Joris. 'De beroemde Lotje. Ik zag je net nog op het regionale journaal. Philippe!'

Het regionale journaal? Was het dan al zo laat? Lotje leunde tegen de boekenkast.

'Hoi!'

'Dag Philippe', plaagde Lotje.

'Bonjour, Charlotte, comment vas-tu?' kaatste Pipo terug.

Lotje lachte hardop.

'Doe niet zo gek. Ik moet je iets vragen.'

'Ik jou ook. Heb je het journaal al gezien?'

Lotje probeerde rustig te ademen.

'Is er dan iets speciaals te zien?'

'Huh?'

'Ja, Pipo, wat er te zien is, weet ik toch al. Ik was er zelf bij.'

Nu begon Pipo te lachen.

'Ben je niet meer boos?' vroeg Lotje.

'Boos? Ben ik boos geweest? Jij hebt tegen me staan schreeuwen, maar daarom ben ik nog niet boos. Zeg, meende je nu echt dat je dat loterijbriefje wilde terugbrengen?'

'Yep! Daarvoor belde ik eigenlijk,' zei ze, 'om te vragen of je met me mee wilt gaan. Ik eet wat en kom je dan ophalen. Goed?'

Lotje hoorde verwarde geluiden door de telefoon.

'Wat doe je, Pipo?'

'Ik? Ik peuterde in mijn oor, ik beet op mijn tong en ik kneep in mijn arm om zeker te weten dat ik niet droomde. Je wilt dus écht terug naar Malevitsj?'

'Ja.'

Het klonk niet echt overtuigd.

'Je houdt me voor de gek, Charlotte', zei Pipo. 'En als je het meent, ben je gek!'

Lotje was blij dat Pipo niet naast haar stond. Ze zou hem meteen een mep hebben verkocht. Hij mocht dan gelijk hebben, daarom hoefde hij niet te zeggen dat ze gek was.

'Ik ben niet gek, alleen eerlijk!'

Pipo grinnikte hoorbaar.

'Je bent wel gek, maar ik ga met je mee. Ik wil erbij zijn als jij je fortuin, waarvan de helft van mij is, weggeeft.'

'Pipo, alsjeblieft. Mijn vader wil dat ik het briefje wegbreng. Ik had je graag…'

'Tegen vaders is niets te doen. Tegen de mijne ook niet. Kom je langs of zien we elkaar in de Beukenlaan? En, Lotje, ik had al zitten denken, maar ik zou niet geweten hebben wat ik met dat geld moest doen.'

'Je bent cool, Pipo!'

'Weet ik. Kom je?'

'Ja', zuchtte Lotje en ze voelde zich opeens heel erg opgelucht. Eindelijk stond ze er niet meer alleen voor.

Na het eten bekeek ze het loterijbriefje voor de laatste keer en stopte het terug in de enveloppe. Ze reed naar Pipo's huis. De jongen stond haar al buiten op te wachten. Hij liep eventjes naast zijn fiets en sprong toen al rijdend in het zadel.

'Ik word dan maar veldrijder', lachte hij. 'Elke week lekker vol modder. Kan ik ook rijk mee worden.'

Lotje wist best dat hij grapjes maakte om haar te troosten.

In de Beukenlaan was het net als de vorige keer erg rustig. Zelfs het vliegtuig dat overvloog, maakte nauwelijks herrie.

'Ik hoop maar dat er iemand thuis is', zei Lotje.

'Geen auto voor de deur?' aarzelde Pipo.

Ze stonden voor het hek. Deze keer geen stem die vroeg wat ze wilden. De camera was er wel, maar hij bewoog niet.

'Het hek is niet op slot', zei Pipo. 'Zullen we?'

Lotje aarzelde nog. Ze ging voor de camera staan, zwaaide met haar armen en voerde ten slotte een soort wilde dans uit. Als iemand daarbinnen de toegang in het oog hield, moest die haar zien. Het bleef stil.

Pipo gaf een rukje aan het hek. Vreemd, het schoof ver genoeg open om ze naar binnen te laten. Pipo ging als eerste. Het grind knerpte onder zijn voeten. Lotje liep op het gras naast het pad. De bel bij de voordeur galmde vreemd hol. Pipo hield zijn vinger op het helrode knopje. Niets. Ze wachtten eventjes. Toen belde Lotje op haar beurt aan.

'Niemand thuis', besloot Pipo. 'Vind je dat niet gek?'

'Er zijn wel meer mensen die met vakantie gaan', zei Lotje. 'Maar je hebt gelijk. Ik vond het huis de eerste keer ook al zo akelig en leeg.'

Pipo keek door een raam naar binnen.

'Leeg? Dat kun je wel zeggen. In deze kamer staat helemaal niets. Het lijkt wel alsof ze zelfs het behang hebben meegenomen.'

Ze keken samen door de andere ramen aan de zijkant van het huis.

'Ik snap het niet', zuchtte Pipo. 'Waarom zou Malevitsj intussen alweer verhuisd zijn? Niemand woont in een huis zonder meubels.'

Aan de achterzijde lag de tuin er nog altijd half verwilderd bij.

'Lucifer?'

De zwarte poes kwam uit een struik te voorschijn. Haar staart vormde een vraagteken.

'Ken je me nog?' vroeg Lotje.

Eigenzinnig liep de kat naar Pipo en schurkte zich tegen zijn benen.

'Goeie smaak heeft dat beest', lachte de jongen. 'Ken je die kat?'

'Ja, hij was binnen vorige keer. Hij speelde met een oranje balletje. En Malevitsj noemde hem Lucifer.'

'Dan snap ik het helemaal niet meer. Verhuizen oké, maar dan laat je toch je kat niet achter?' bromde Pipo.

De kamer met de grote ramen was net als de andere super-kaal. Geen ezel, geen tafeltje met verftubes, geen schilderij met een lezend meisje.

'Wat moeten jullie daar?'

De twee kinderen keken geschrokken om.

Een grote, slanke man met kortgeknipt haar hield een woest uitziende zwarte hond aan de lijn.

'We zochten meneer Malevitsj. We willen hem spreken', lispelde Pipo.

'Wíe zochten jullie?'

'Meneer Malevitsj.'

De man dacht een poosje na en schudde toen zijn hoofd.

'Ken ik niet,' zei hij, 'en ik ken iedereen in de buurt. Ik ben majoor Pietersen. Ik houd alles in het oog. Wie zijn jullie?'

'Zij is Lotje en ik ben Pipo. We moeten iets afgeven aan meneer Malevitsj.'

'Of aan Vladimir', vulde Lotje aan. 'Die woont ook hier. En dat is hun kat.'

Ze wees naar Lucifer die met gekromde rug de hond aanstaarde. Zijn staart zwiepte.

'Dat is de kat van mevrouw Demeestere, niet die van een meneer Malevitsj, wie dat ook mag zijn. Klinkt erg Russisch, niet? En je weet zeker...'

'We zijn hier bij hem geweest. Eergisteren. Hij is kunstenaar', legde Lotje uit.

Opnieuw schudde majoor Pietersen zijn hoofd.

'Daar heb je mevrouw Demeestere. Hallo, Irma. Deze kinderen zijn op zoek naar ene Malevitsj. Die zou hier wonen, zeggen ze.'

Mevrouw Demeestere was lang en graatmager. Ze droeg jeans, een sweater en sportschoenen.

'Hier woont al zes maanden niemand', zei ze heel beslist. 'Zonde van het huis. Maar misschien komt er wel een nieuwe eigenaar. Er is een architect komen kijken. En die heeft dan weer een binnenhuisarchitect meegebracht. Ze hebben me verteld dat ze alles kwamen opmeten, dat ze schetsen moesten maken en zo.'

Lotje knikte.

'Was die architect een grote man? Had hij blauwe ogen en donker haar? Zo lang?' Ze wees tot onder haar oor.

Mevrouw Demeestere knikte verbaasd.

'Malevitsj', zuchtte Lotje. 'En die andere?'

'Heb ik niet echt gezien. Het was vooral de man die jij Malevitsj noemt die af en aan reed. Met hem heb ik een keer gepraat. Heel charmant. Het was toen dat hij me vertelde dat hij architect was en het huis moest onderzoeken voor een heel rijke koper. Ik vond het eerst wel wat vreemd dat ik nergens vanaf wist. De eigenaar heeft me een sleutel van het huis gegeven voor noodgevallen. O ja, er was zo'n vreemde kerel bij. Kaal en erg gespierd.'

Nu was Lotje er helemaal zeker van.

'Er was natuurlijk geen elektriciteit in het huis', ratelde mevrouw Demeestere verder. 'Ze hebben een lange leiding gelegd naar mijn kelder. Netjes alles vooruit betaald. Vanmorgen, toen ik naar de tennisclub vertrok, was die leiding er nog. Nu is hij weg.'

'Ik vind dit heel verdacht', zei Pipo peinzend. 'Kom, Lotje.'

Pipo klonk weer heel erg volwassen. Lotje zei eerst nog beleefd goeiendag tegen de majoor en tegen mevrouw Demeestere.

'Ik houd een oogje in het zeil', beloofde de majoor.

Lotje en Pipo liepen samen weg. Lucifer drentelde nog eventjes achter ze aan, maar stopte bij het hek.

Toen Pipo zijn fiets wilde pakken, bukte hij zich.

'Lotje, kijk daar!'

Hij wees naar een dichte struik.

'Te koop of te huur. EKO', las Lotje op het bord dat onder de struik was geschoven.

'Hier is iets aan de hand', zei Pipo. 'Wat denk jij?'

56

Lotje knikte.

'Ga je mee? Mijn vader is waarschijnlijk nog op zijn werk. We vertellen het hem samen. Dan kan mijn vader niet nog eens zeggen dat ik het allemaal verzin. Misschien laat hij me dat loterijbriefje nu toch houden. Ik kán het gewoon niet teruggeven.'

Pipo haalde zijn schouders op. 'Oké, het is toch op de weg naar huis.'

Kalmpjes fietsten ze de Beukenlaan uit.

Veilinghuis Ars pro domo was ondergebracht in een bijzonder statig negentiende-eeuws herenhuis. Je kwam er binnen via een brede trap. Links en rechts daarvan waren hoge ramen

'Ja?' zei de blonde juffrouw die achter de balie zat. 'O, jij bent het, Lotje. Je bent wel flink gegroeid, zeg. Ik herkende je bijna niet.'

'Dag, Sylvie. Is papa hier?'

Pipo staarde met open mond naar de schilderijen en het meubilair in de toonzaal.

'Ja,' zei Sylvie, 'hij is in huis, maar misschien zit hij nog in een vergadering. Het is vreselijk druk op dit ogenblik.'

Op de tafel van Sylvie lag een catalogus. Op de cover stond een meisje met lang, krullend haar afgebeeld. Ze zat in een stoeltje met een ronde leuning en las een briefje.

'Mooi, hè?' zei Sylvie. 'Je pa is in gesprek. Vijf minuutjes geduld.'

'Heel mooi', zei Lotje.

'Ze kijkt wel een beetje scheel', lachte Pipo.

'Zou je het aan de muur van je kamer willen?' vroeg Sylvie.

'Nee, geef mij maar Janet Jackson!'

'Pipo, je bent een barbaar!' lachte Lotje. 'Dat zegt mijn vader soms tegen mensen die een schilderij niet mooi vinden. Ja, ik wil het best in mijn kamer.'

'Haal dan je spaarpot maar leeg. Dit schilderij zal zo'n tien miljoen euro kosten.'

Sylvie giechelde om haar eigen grapje. Lotje knipperde met haar ogen. 'Nu snap ik het', fluisterde ze.

'Wat dan?' vroeg Sylvie.

'Dus als de kunstenaar dit schilderij verkoopt, krijgt hij tien miljoen euro?'

Sylvie knikte. 'Min de kosten en onze vergoeding natuurlijk.'

'Pipo, snap je nu dat Malevitsj niet wakker ligt van 500.000 euro?' zuchtte Lotje.

'Wie zei je? Malevitsj?' vroeg Sylvie.

Lotje knikte.

'En waarom zou meneer Malevitsj dat geld krijgen?'

'Je zei het net zelf. Omdat hij dit schilderij verkoopt', zei Lotje.

Sylvie fronste haar voorhoofd.

'Nee hoor. Ik mag je niet vertellen wie de verkoper is, maar het is beslist geen meneer Malevitsj.'

'Ik heb het schilderij…'

Lotje kon haar zin niet afmaken.

'Laat Lotje maar komen, Sylvie.'

De stem van haar vader klonk vreemd door de intercom.

'Je weet nog waar zijn kantoor is?' vroeg Sylvie.

Lotje knikte en pakte de arm van Pipo beet. Ze liepen door twee klapdeuren naar een zaal die vol stoelen stond. Vooraan, op een podium, was een soort spreekgestoelte opgesteld. Daar zou de veilingmeester staan als het schilderij werd verkocht.

Opeens kwam de vader van Lotje aanhollen. Zijn das zat scheef en hij hield een mobieltje aan zijn oor. Hij bleef bij Lotje staan.

'Nee, natuurlijk niet. Ja, zeker! Alle veiligheidsmaatregelen zijn getroffen. Het schilderij komt maar één uur lang uit zijn plexiglas behuizing. Net voor de veiling, ja. De kopers moeten het van dichtbij kunnen zien. Geen probleem, ik kom er zo aan.'

Hij schakelde zijn telefoon uit.

'Papa, we…'

'Sorry, liefje. Je hoort het. Ik dacht dat ik even tijd had voor je, maar daarnet belde de verzekering. Ik moet nu echt gaan. Vertel me alles vanavond. Oké? Dag, Pipo!'

En weg was Lotjes vader.

'Ook goedendag!' riep Pipo nog.

Lotjes vader kwam pas uren later thuis. Lotje zat te lezen.

'Oef, wat een dag!'

Papa plofte neer op de bank, schopte zijn schoenen uit en legde zijn voeten op het tafeltje dat er voor stond.

'Wil je wat drinken, schat?' vroeg mama. 'En heb je al iets gegeten?'

'Nee, we waren van plan om met die klanten uit eten te gaan, maar ze hadden opeens haast.'

Papa kreeg een glaasje sherry en mama verdween naar de keuken om wat boterhammen te halen.

'En, Lotje? Alles geregeld? Dat was toch wat jullie me van-middag wilden vertellen, niet?'

Lotje legde haar boek weg en ging naast haar vader zitten.

'Papa?'

'O nee! Als je die toon aanslaat, weet ik dat er iets fout zit. Heb ik gelijk of niet?'

'Ja,' zei Lotje, 'maar ik kan het echt niet helpen.'

Papa legde zijn arm om haar schouders.

'Echt niet? Vertel me dan eens alles.'

Lotje besefte al heel gauw dat haar verhaal fantastisch klonk. Ze had bijna moeite om het zelf te geloven.

'En nu zeg jij dus dat je dat loterijbriefje niet hoeft terug te geven omdat die geheimzinnige meneer Malevitsj een schilderij verkoopt waarvoor hij tien miljoen krijgt?' vroeg papa.

Zijn stem kreeg de klank van naderend onweer.

'Papa, ik wilde het teruggeven, maar Malevitsj was verdwenen. Je mag het mevrouw Demeestere en majoor Pietersen vragen. En ik weet zeker dat ik dat dure schilderij in dat huis heb gezien.'

Mama was er met de boterhammetjes. Papa nam een hap en kauwde langzaam. Lotje werd doodzenuwachtig.

'Lotje, je bent een lief meisje', zei papa. 'Maar nu ben ik het beu. Je verzint de gekste dingen om dat geld toch te pakken te krijgen. Ik zeg je nu voor de laatste keer dat het je niet zal lukken.'

'Papa!'

'Fantasie is leuk, maar nu ga je echt over de schreef. *Lezend Meisje*, dat schilderij van Picasso, zit al een week in een kluis. In de kluis staat een kooi van plexiglas, vier centimeter dik. Ik heb het elke dag gezien. Hou dus maar op met die gekke verzinsels. En als meneer Malevitsj al bestaat, is hij zeker niet de eigenaar van het schilderij. Duidelijk? Dus geen gekke verhalen meer. Dat loterijbriefje gaat terug. Gesnapt?'

Lotje knikte moedeloos. Vaders konden zo ontzettend koppig zijn.

8.

'Ik heb je gezien op het journaal. En ik was er ook op. Eventjes maar!' gilde Joke.

'Er staat een foto van je in onze krant!' schreeuwde Jonas. 'Je kijkt alsof je net een spin hebt ingeslikt.'

Hij zwaaide met een stuk krant.

'In mijn krant zie je er leuk uit', zei Tania. 'Maar dat is dan ook een goede krant.'

Lotje liet het allemaal over zich heen gaan. Tot Fien erbij kwam.

'Je hebt ons flink beduveld!' snauwde Fien. 'Je wilt helemaal niets voor de klas doen. Ik heb je door, flauw wicht!'

Ook de vier leden van het clubje stonden met de anderen van de klas om Lotje heen.

'Waar haal je dat nu weer vandaan, Fien!' snibde Pipo. 'Is je fantasie weer op hol geslagen?'

'O, hoor hem eens! Jij krijgt natuurlijk wel je deel', zei Fien. 'Zo hou je je mond.'

'Fien, ik... echt...'

'Doe niet zo onschuldig. Je zegt dat je het briefje gaat teruggeven. Dat staat in de krant.'

'Je hebt het ook op de televisie gezegd', knikte Kim.

'Het staat in alle kranten', wist Joke.

'Zie je wel?' triomfeerde Fien.

Lotje snapte het nog altijd niet. Aan de gezichten van haar klasgenootjes merkte ze dat ze niet de enige was.

'Je geeft dat briefje natuurlijk niet terug. Je houdt het, je haalt het geld stiekem op. Zo hoef je niet te delen. Geef het maar toe.'

Opeens snapte Lotje het.

'Ik geef niets toe. Jij bent een kreng, Fien. Ik kan je wel...'

Wat Lotje kon, zou niemand ooit weten.

Als een furie vloog Fien Lotje aan. Lotje reageerde met een mep. Fien krijste en probeerde Lotje te krabben. De omstanders maakten oerwoudgeluiden. Oe, oe, oe.

Lotje gaf Fien een duw. Die struikelde over een voet en viel op haar zitvlak.

'Pak haar, Lotje! Pak haar!'

Tania en Kim stonden te springen van opwinding. Lotje schudde haar hoofd en wilde uit de kring weg. Fien krabbelde overeind. Jens en Pipo hielden haar tegen.

'Hou op, Fien!' zei Pipo. 'Je hebt het helemaal fout. Nee, niet helemaal. Misschien geeft Lotje dat briefje echt wel terug. Alleen moet ze de eigenaar vinden. Die is nu verdwenen. We hebben hem één keer gezien en één keer gebeld… O!'

Pipo begon verwoed in zijn broekzak te zoeken.

'Lotje, ik heb het!' brulde hij opeens.

Lotje draaide zich om. Pipo hield een klein groen kaartje tussen zijn vingers.

'Wat heb je?'

Pipo boog wat voorover en fluisterde iets in het oor van Lotje.

Die draaide haar hoofd en lachte opgelucht.

'Megaformidastisch!' zei ze. 'Straks tijdens de middagpauze? Heb jij je mobieltje bij je?'

Pipo knikte. 'Altijd!'

'Behalve die keer toen we dat van Malevitsj vonden', grapte Lotje.

Toen ging de bel.

Juf had de grootste moeite om de klas rustig te houden. Voortdurend zat er wel iemand te praten.

'Nu is het genoeg geweest!' riep ze opeens. 'Wat scheelt jullie vandaag?'

Tien tellen lang bleef het stil.

'Het is de schuld van Lotje, juf!' krijste Fien.

'Nietes, Fien! Jij bent begonnen!' riep Tania.

'Ze maken ruzie, bah!' zei Mirabelle nuffig. 'Juf, het gaat alleen maar om dat geld. Lotje wil dat loterijbriefje teruggeven. En Fien had gedacht dat ze naar een pretpark mocht. Nu is ze nijdig omdat dat misschien niet doorgaat!'

'Hou jij toch je tong achter je tanden, tuttebel!' snauwde Fien.

Juf luisterde aandachtig.

'Fien?' vroeg ze toen.

'Lotje had het beloofd, maar nu wil ze al het geld voor zichzelf houden. Ze doet heel erg vals!'

'Tania?'

Tania zat met haar hand in de lucht te zwaaien.

'We weten het niet, juf', zei het meisje. 'Lotje heeft nog niets gezegd.'

'Lotje? Ik vind dat het tijd is dat je zegt waar het op staat. We kunnen niet dagenlang herrie hebben in de groep.'

'Juf, ik weet het nog niet. Echt niet! Ik zou best willen dat de hele klas naar een pretpark kan. Maar dat geld kan toch beter gebruikt worden?'

'Zie je wel!' riep Fien triomfantelijk. 'Ze wil eronderuit. En dan vindt iedereen haar nog lief ook. Het geld beter gebruiken, wat mooi van je, Lotje!'

Juf knipte met haar vingers.

'Mooi, nu weten we het. Neem je oefenschrift en een pen.'

Een heleboel kinderen keken woedend naar Fien. Daar had je het! Zo ging het toch altijd?

'Voor of tegen? Moet dat echt, juf?' kreunde Pipo.

Juf knikte alleen maar.

'Voor of tegen wat?' wilde Claire weten. 'Toch niet over een pretpark, juf? Ik wil niet eens naar zo'n duf pretpark. De pony's stinken er en ik word ziek in die snelle dingen. En zeker niet met deze...'

Ze zweeg net op tijd.

'Pretpark of geld beter gebruiken? En waarom dan wel? Aan het werk.'

Oefenschriften kletsten op de tafels. En daar gingen ze. Een uur lang.

'Mooi!' zei de juf ten slotte. 'Zo ken ik mijn klas weer. We gaan...' Ze keek op haar horloge. 'We gaan zo dadelijk onze boterhammetjes opeten.'

'Lunchen! Lotje gaat toch lunchen?' sneerde Fien.

'Jij bent een jaloers stuk ongeluk!' snauwde Delphine.

'Tuttebel!' gilde Kim.

'Mond houden of we blijven in de klas. Wat scheelt jullie toch?' riep juf.

'Geld maakt dus toch niet zo gelukkig', zuchtte Pipo.

Toen ging de bel. Lotje stapte samen met Claire en Mirabelle de klas uit. Geen van de twee meisjes vroeg haar mee. Gelukkig had ze boterhammen met kaas en jam meegenomen. Gewoon voor het geval dat.

'Ze laten je wel heel gauw stikken', siste Fien in het voorbijgaan. 'Misschien ben je toch maar een heel gewoon kind?'

Lotje kreeg tranen in haar ogen.

Pipo kwam naast haar zitten terwijl ze met lange tanden haar boterhammen opat. Daarna liepen ze samen naar het school-plein.

'Wat doen we?' vroeg hij.

'We zouden toch proberen om Malevitsj te bellen?'

'Toch doen? Dan moet ik er wel eerst voor zorgen dat hij niet kan weten wie hem belt.'

Handig tokkelde Pipo wat op de toetsen van zijn mobiel-tje. Lotje keek bewonderend toe. Anoniem bellen las ze op het schermpje. Ze hoorde een kort biepje.

'Zo, geregeld. Wat...'

'Waarom mag hij niet weten wie hem belt?' vroeg Lotje ver-baasd.

'Ik denk nog altijd dat er iets fout is met die vent. En dan ben ik voorzichtig', zei Pipo.

Lotje voelde zich opeens niet helemaal lekker. Het klonk ge-vaarlijk.

Pipo haalde het bioscoopkaartje te voorschijn.

'0475/621409', mompelde hij terwijl zijn vingers snel over de toetsen bewogen. Hij hield het mobieltje aan zijn oor. Toen knikte hij.

'Is dat meneer Malevitsj?' vroeg Pipo.

Het viel Lotje op dat hij erger lispelde en dat zijn stem hoger klonk nu hij zenuwachtig was. Pipo hield het mobieltje een eindje van zich af. Hij keek vreselijk geschrokken. Er was wat!

'Ja, meneer Malevitsj. Ja, het isj er, het sjilderij isj er!'

Lotje had moeite om niet te lachen. Zo erg had Pipo het nog nooit gehad. De verbinding was verbroken.

'En?' vroeg Lotje.

Pipo stond nog altijd naar zijn mobieltje te staren.

'Dat was gek', fluisterde hij.

'Ga je het nog vertellen?' Lotje stond te huppelen van nieuwsgierigheid. 'Wat was er zo gek? Pipo! Vertel op!'

'Wel, ik belde dus en ik zei alleen "Is dat meneer Malevitsj?". Meteen begon Malevitsj tegen me te brullen. Waarom ik zo stom was om te bellen? Dat er toch afgesproken was dat ik hem niet meer zou bellen?'

Lotje beet op haar lip.

'En toen vroeg hij of ik het schilderij had gezien. En of het in de veilingzaal was.'

'Dat was toen jij zei dat het er was.'

Pipo knikte.

'Waarom vraagt hij dat aan mij? Hoe moet ik weten waar dat schilderij is?'

'Ja, waarom vraagt hij dat? Hij is toch niet de eigenaar? Sylvie heeft het gezegd en mijn vader ook.'

Pipo krabde in zijn haar.

'Toen werd het nog gekker. Hij zei me nog eens dat ik hem niet meer moest bellen en dat hij me niet wilde zien voor alles achter de rug is.'

Lotje pakte de arm van haar vriendje beet.

'Pipo, je weet zeker dat je dat hebt gehoord? Je verzint het niet zomaar?'

Pipo stopte twee vingers in zijn mond, beet erop en stak ze toen in de lucht.

'Ik zweer het!'

Lotje knikte.

'Toen werd het nóg vreemder. "We zien elkaar morgen, na de veilig in het Downtown hotel bij de luchthaven!"' zei Pipo.

'Waarom wil hij jou zien? Hij kent je niet eens. Je mocht niet naar binnen, weet je nog?'

Pipo haalde zijn schouders op.

'Ik snap het ook niet, maar mijn kleine teen zegt me dat er iets heel vreemds aan de hand is.'

'Kijk, daar staat het liegbeest!'

Fien en een vijftal andere kinderen van de klas kwamen aanlopen.

'Laat me met rust, Fien! Ga koekjes bakken, kersen plukken of stik gewoon. Maar laat me met rust. Ik praat niet met domme wichten!'

De volgelingen van Fien keken haar verbaasd aan.

'Ja, kijk maar niet zo. Je kunt het niet helpen. Je stond helemaal achteraan toen de hersenen werden uitgedeeld. Ze hebben het potje moeten leegkrabben. En de restjes waren al beschimmeld. Dus hoepel op!'

Lotje raasde maar door. Pipo keek haar verbaasd aan, maar Fien bleek niet echt onder de indruk. Ze bleef voor Lotje staan.

'Waarom zou ik weggaan? Je hebt ons bedrogen!' gilde Fien.

'Fien, Lotje kan…'

'Bek dicht, Pipo. Ik heb jou wel door. Slijmen en lief doen tegen haar. O, Lotje, wat ben je knap! Lotje petotje, ik ben toch jouw beste vriendje? Ik krijg toch ook wat van je geld? Jij, Pipo, jij bent al net zo'n bedrieger als zij!'

De andere kinderen joelden.

'Lotje heeft gelijk als ze het over jouw hersenen heeft, Fien. Je snapt er niets van!' zuchtte Pipo. 'Niets!'

'O? Leg jij het dan eens uit, meneertje Slim. Dan weten we het allemaal!'

'Kan niet, Fien. Het is een geheim', zei Pipo.

Fien lachte hardop. De vijf anderen deden met haar mee.

'Een geheim! Het geheim van Lotje. Die is goed!'

'Kom mee, Pipo, ze zoekt alleen maar herrie', zuchtte Lotje.

'Pipo, ze praat tegen je alsof je haar hondje bent. Vind je dat goed? Kun je al opzitten? Blaf je ook?' pestte Fien.

Pipo had er opeens genoeg van.

'Hou op, Fien! Je weet niet wat je zegt! Hou op!'

Pipo gaf Fien een duw en liep weg. Fien klauwde nog naar hem, maar miste. Ze raakte een van haar volgelingen. Die krijste.

Pipo en Lotje holden naar de plaats waar de juf stond te praten met de directeur.

'Ha, dag Lotje! Leuke foto's in de kranten, niet? Nu hebben we een BM op school, een Bekend Meisje!'

De directeur lachte om zijn eigen grapje. Juf deed mee. Natuurlijk!

'Ik vind het niet leuk, meneer,' zei Lotje, 'echt niet. Ik wilde dat ik dat rotbriefje nooit had gezien.'

De directeur knikte en kuchte.

'Dus, zoals afgesproken, juf?'

'Jawel, Dirk.'

De directeur beende weg. Pipo keek hem verbaasd na. Mocht de juf hem zomaar bij zijn voornaam noemen?

'Wat willen jullie van me?' vroeg juf.

'We komen een beetje schuilen', zei Pipo. 'Hier laten ze ons tenminste met rust.'

'Tja, dat had je kunnen zien aankomen', zei juf. 'Opeens wordt alles anders. En vertel me nu eens, Lotje, geef je dat briefje echt terug? Of was het een smoes om rust te hebben?'

Lotje schudde haar krullen.

'Ze wil het teruggeven, maar de man van wie ze het kreeg, is verdwenen', legde Pipo uit.

'En nu is iedereen opeens boos', pikte Lotje in. 'Ze denken allemaal dat ik dingen verzin. Mijn vader, Fien en nu u ook nog, juf. Maar het is echt, hoor. Ik wil dat briefje teruggeven, maar het lukt niet. De man is echt weg. Het huis is helemaal leeg.'

Juf glimlachte. Lotje keek echt heel ongelukkig.

'Misschien kunnen jullie hem opsporen? Zoals die jonge detectives... ik ken hun namen niet meer, uit die televisiereeks...'

'Jelle en Jenke! Zij zijn wel tweelingbroer- en zus, juf.'

Pipo zei dat zo komisch dat juf in lachen uitbarstte. De jongen keek naar Lotje. Die haalde haar schouders op.

'Je wilt dus zeggen dat je Lotje liever niet als zus zou hebben?'

'Zeer zeker niet!' zei Pipo beslist.

'Hé zeg, bedankt hoor!' zei Lotje.

'Ik wil later met haar trouwen', zei Pipo tegen juf.

'En ik dan?' riep Lotje.

'Gewoon, jij trouwt met mij. Allebei tevreden.'

Juf proestte het opnieuw uit.

'Weg jullie. Ga nog wat spelen. En als je die man toch vindt, moet je me alles vertellen.'

'Ik vind dat we nog één keer naar de Beukenlaan moeten fietsen', zei Lotje. 'Juf heeft gelijk. We kunnen Malevitsj misschien opsporen.'

'Hoeft toch niet!' zei Pipo. 'Morgen in het Downtown hotel wacht hij op mij.'

Lotje kreeg opeens een vreemde inval. Wat als Malevitsj had gedacht... Nee, dat was té gek voor woorden.

'Trouwens, wat zouden we in de Beukenlaan vinden?'

'Weet ik niet. Misschien een spoor?' zei Lotje.

'Wil je in dat huis inbreken of zo?'

'Pipo, je bent te slim om zo'n domme vraag te stellen. We kunnen naar binnen met de sleutel.'

De jongen tikte tegen zijn voorhoofd.

'Ik ben misschien gek, maar jij... O, juist die mevrouw! Die heeft een sleutel. En we vragen majoor Pietersen erbij. Ik wist niet dat jij zo slim was, Lotje. Als we trouwen, zullen we heel slimme kindertjes hebben. En met een beetje geluk lijken ze ook nog op jou!'

Dat laatste voegde Pipo er haastig aan toe. Lotje stak haar tong naar hem uit. Maar het deed haar deugd dat ze tenminste nog één vriendje had, een echt door-dik-en-dun vriendje.

'Gaan we dan nu meteen?' vroeg ze. 'Het is eigenlijk te gek om eerst naar huis te fietsen.'

Dus gingen ze meteen. Voor het hek van de school liet mevrouw Durique net Mirabelle instappen. Ze deed alsof ze Lotje niet opmerkte. Tuttebel!

De Beukenlaan was rustig als altijd. Mevrouw Demeestere werkte in de tuin. Ze knipte met een scherp schaartje een bolletje buxus mooi rond.

'Hallo! Zijn jullie weer in de buurt? Nog iets gehoord van die geheimzinnige meneer Malevitsj?'

Pipo knikte.

'We zoeken hem. Mevrouw, u heeft toch de sleutel van het huis? Mogen we nog een keertje binnen kijken? Misschien vinden we zo een spoor.'

Mevrouw Demeestere legde de snoeischaar in een mandje en veegde haar handen af aan een groene tuinschort.

'Oho, ik heb met twee jonge detectives te doen!'

'Ja, maar hij is niet mijn broer', zei Lotje gauw.

Mevrouw Demeestere snapte het grapje niet, maar glimlachte beleefd.

'Ik haal de sleutel', zei ze.

Het hek schoof gemakkelijk open. Iemand had het bord Te Koop of Te Huur weer rechtop gezet.

Opnieuw was Lotje diep onder de indruk van het huis. Het was prachtig, groot en licht, maar toch had het iets beangstigends. Samen met Pipo en mevrouw Demeestere liep Lotje kamer in, kamer uit. Niets.

'Je weet zeker dat je die mannen in dit huis hebt gezien?' vroeg mevrouw Demeestere.

Ze stonden in de grote tuinkamer. Lotje knikte nadenkend. Toen viel ze op haar knieën. Triomfantelijk haalde ze een oranje balletje onder de radiator uit.

'Hiermee speelde Lucifer toen ik er was', zei ze.

Mevrouw Demeestere knikte. Pipo schoof een nauwelijks zichtbare deur open. De keuken. Daar was alleen een vuilnisbak achtergelaten. De kastdeuren stonden open. De vuilnisbak viel op als een puist op het puntje van iemands neus. Het was zo'n hoog, rond ding met een pedaal die het deksel deed openklappen. Dat deksel sloot niet netjes. Pipo zette zijn voet op het pedaal. Het deksel werd een ronde, open mond. Hij liet het deksel neerklappen. Pipo drukte weer op het pedaal en tilde de vuilnisemmer die binnenin zat uit de houder.

'Aha, daarom sluit hij niet!'

Hij boog diep voorover en haalde twee dingen uit de vuilnisbak. Een platgeknepen verftube en een verfrommelde foto.

'Iemand is dom geweest. Toen hij die dingen in de bak gooide, zat de emmer niet op zijn plaats.'

'Juist,' zei mevrouw Demeestere, 'dat gebeurt mij soms ook. Maar wat betekent het?'

'Die verftube heeft te maken met een schilderij. Eerst was het hier. Lotje heeft het zelf gezien. Later dook het schilderij weer op in het veilinghuis waar haar vader werkt. Daar hebben we het samen gezien', legde Pipo uit.

Mevrouw Demeestere knikte wel, maar snapte er duidelijk niks van. Pipo had de verfrommelde foto nog steeds in zijn hand. Lotje nam het ding van hem over en begon het glad te strijken.

'*Lezend Meisje!*' zei ze verbaasd. 'Kijk, mevrouw, dit is het schilderij!'

De polaroidfoto was vaag, overbelicht en gekreukt, maar als je goed keek, herkende je het meisje in haar stoel.

'Het kost zo'n tien miljoen euro!' zei Pipo.

'Zoveel? En dat schilderij was echt hier?' vroeg mevrouw Demeestere.

'Ja!' zei Lotje. 'Daar stond het op een schildersezel.'

Ze liep naar het midden van de grote woonkamer.

'Maar dat klopt toch niet met die verftube? Of wil je zeggen dat het schilderij hier is gemaakt?'

'Nee,' zei Pipo, 'het is een schilderij van Bokassi of zoiets. Jij weet het, Lotje.'

'Van Picasso. Pablo Picasso!' zei Lotje. 'Barbaar!'

'Oei,' zei mevrouw Demeestere, 'dat is toch die schilder die vrouwen met twee neuzen of drie ogen schildert? Tien miljoen euro?'

Het bleef bewonderend stil.

'Zullen we dan maar gaan? Hier is toch niets meer te vinden. Tien miljoen euro!'

Mevrouw Demeestere was echt helemaal overdonderd. Ze sloot het huis heel voorzichtig af.

'Het is me toch wat', zuchtte ze terwijl Lotje en Pipo wegfietsten.

9.

'En Lotje?' Haar vader had nog niet eens zijn tas neergezet toen hij zijn vraag al stelde. 'Is dat briefje terug bij de eigenaar?'

Lotje trok een ongelukkig gezicht.

'We zijn naar de Beukenlaan gefietst. Niemand kende de man daar. Hij is gewoon verdwenen. Ik kan het niet teruggeven. Papa?'

Haar vader ging aan de tafel zitten.

'Lotje, ik weet al wat je gaat vragen, maar het antwoord blijft nee. We houden dat geld niet.'

'Papa, ik zal het wegschenken aan...'

'Je doet maar wat je wilt, maar het briefje gaat terug. Morgen allerlaatste kans. Zo niet regel ik het zelf. Begrepen?'

'Als ik het weggeef,' smeekte Lotje, 'mag ik dan niet een beetje houden? Om met de klas naar een pretpark te gaan?'

'Dat is een goed idee', knikte mama. 'Wat denk je, Robert?'

'Waarom dan?' zuchtte papa, die de discussie meer dan beu was.

'Omdat ze me dan met rust laten op school!' riep Lotje. 'Nu is iedereen boos op me.'

'Nee,' zei papa beslist, 'nee en nog eens nee. Ik verander niet van mening omdat een stel schoolkinderen dom doet. Ja, ik zie wat je denkt, Mieps. Ik ben koppig. Ooit zul je snappen waarom, Lotje. Geld moet je verdienen, anders wordt het een plaag.'

Mama probeerde te sussen.

'Vind je niet dat je een tikkeltje overdrijft, Robert?' zuchtte ze. 'Ik heb echt te doen met Lotje. Al die gespannen verwachtingen bij die kinderen...'

'Mieps, het is een kwestie van alles of niets. Snap dat toch een keertje!' zei papa. 'En nu is dit hoofdstuk afgesloten, ik wil er niets meer over horen.'

Lotje snufte nog wat na.

'Morgen na schooltijd kom je het me vertellen... Ja, ik weet het. Morgen maak ik tijd om naar je te luisteren. Dan wil ik horen wat je met het briefje gedaan hebt. Duidelijk?'

'Je hebt toch die veiling?' vroeg mama verbaasd.

'Mijn werk zit er eigenlijk op. En ik heb twee stoeltjes gereserveerd voor twee dames op wie ik erg dol ben. Geloof me, het wordt een leuke belevenis voor jullie en voor Lotje in het bijzonder.'

Ze gingen er nog een poosje over door. Lotje dacht helemaal niet meer aan de verftube en de polaroidfoto.

Papa keek opeens weer erg vrolijk. Lotje nog niet. Natuurlijk vond ze het leuk om naar die veiling te gaan, maar eerst moest ze nog een dag op school meemaken.

En ze moest nog iets of iemand vinden aan wie ze dat loterijbriefje kon geven. School? Als ze dat geld nu eens gewoon aan de juf gaf? Of aan de directeur? Dan kon ze zeggen dat die de hele klas naar het pretpark moest laten gaan. Hij kon dan een groot feest organiseren en elk kind een nieuwe fiets geven. Zo had ze er ook nog wat aan. En... Toen schudde ze haar hoofd. Nee, beter van niet. Fien zou triomferen. Claire zou haar neus ophalen voor de stank van de pony's en dus zou de rest van het clubje dat ook doen. Er zou herrie komen over de fietsen. De ene zou een tandem willen, de andere een mountainbike. Het zou nooit goed zijn...

Stilletjes aan begon Lotje te snappen wat haar vader bedoelde met: 'Geld dat je niet verdient, wordt een plaag!'

Mooi, ze was al een stap verder. Ze wist wat ze NIET met het geld zou doen.

Midden in de nacht schoot Lotje overeind. Wat een akelige droom! Hoe kwam ze erbij? Jan Vuilbak zat achter haar aan.

De dakloze zwerver die ze in het park had ontmoet wilde haar pakken. 'Geef dat briefje hier! Het zat in mijn kast!' gilde hij terwijl hij met zijn vieze vingers naar haar klauwde. Brrr! Ze had zelfs zijn stinkende adem geroken, zo dicht was hij bij haar geweest.

Lotje stapte uit bed en liep naar de keuken om een glas melk te drinken. Jan Vuilbak, de zwerver uit het park. Nu wist ze het! In de buurt van de school was een tehuis voor daklozen. Ze zag er vaak erg haveloze mannen zitten, terwijl ze wachtten voor de gesloten deur. Daar zou ze het loterijbriefje afgeven.

Lotje zweefde bijna terug naar haar kamer. Haastig zocht ze een pen en een velletje papier.

Beste meneer of mevrouw,

Dit is geen grap. Met het briefje in deze enveloppe kun je 500.000 euro winnen.

Het is het loterijbriefje waarover ze op de televisie hebben gepraat en waarvan de winnaar nog niet bekend is.

Dat was van de trekking van enkele dagen geleden. De winnaar heeft het geld nog niet opgehaald. Het briefje heeft de prijs dus al gewonnen.

Ik hoop dat veel mensen hiermee gelukkig worden.

Ze vouwde het vel papier in drieën en stopte het bij het loterijbriefje. Op de enveloppe schreef ze in grote drukletters:

ECHT HEEL BELANGRIJK!!!

Toen kroop Lotje terug in bed.

De volgende ochtend fietste Lotje vroeg naar school. Ze maakte een ommetje en stopte bij het tehuis voor daklozen. Haar

hart klopte als een gek toen ze de enveloppe in de brievenbus liet glijden.

Zo! Dat was het dan.

Op school viel het allemaal nogal mee. Fien zocht weer eens herrie, het clubje deed net als vroeger alsof ze lucht was en juf keek meer dan ooit in haar richting.

Pipo kwebbelde heel opgelucht toen de ochtend voorbij was. Die middag hadden ze vrij. Hij liep samen met Lotje naar de fietsenstalling.

'Zullen we samen iets leuks gaan doen?' stelde hij voor.

Lotje stond aan haar fietsslot te frunniken.

'Kan niet, ik ga met mama naar de veiling. Ik wil echt zien hoe iemand tien miljoen euro betaalt voor een schilderij.'

'En wat doe je als Malevitsj daar opduikt? Geef je hem dan het loterijbriefje?'

Lotje stond tien tellen roerloos voor zich uit te staren. O, God! Wat als Malevitsj haar herkende?

'Lotje?'

'Sorry, Pipo, ik had het je moeten vertellen. Het briefje is weg. Naar een goed doel.'

Nu wist Pipo een poosje niet meer wat hij moest zeggen. Lotje had de indruk dat hij iets anders had verwacht

'Mijn vader was vreselijk boos, Pipo. Ik bleef maar zeggen dat we Malevitsj niet konden vinden, maar dat maakte geen moer uit.'

'En wie…'

'Pipo, dat vertel ik aan niemand. Ik hoop dat wie het briefje gekregen heeft, ook zijn mond houdt. Ik heb er nu schoon genoeg van!'

'Goed!' zei Pipo. 'Dan zie ik je morgen?'

Lotje knikte.

'Ik vertel je dan alles over de man van tien miljoen.'

Pipo reed weg. Hij keek niet om en zwaaide ook niet. Lotje voelde zich rot.

Thuis had mama kip met appelmoes voor hun tweetjes en vruchtenyoghurt als toetje. Lekker! Maar er was iets. Mama deed té opgewekt, dus maakte ze zich waarschijnlijk ergens zorgen over.

'Mama, je mag het vragen hoor', zei Lotje opeens. 'Ik heb het briefje weggegeven aan een goed doel. Het hoofdstuk is nu echt afgesloten, zou papa zeggen.'

Mama glimlachte. 'En hoe voel je je daarbij?'

Lotje schrok van die vraag. Wat bedoelde mama?

'Gewoon. Ik wil weten hoe je je voelt.'

'Arm, maar tevreden', zei Lotje, die meteen veranderde van onderwerp. 'Wanneer gaan we?'

10.

'Eerst douchen en dan nette kleren aan. Ze liggen op je bed.'

'Toch niet…' schrok Lotje.

'Jawel!' lachte mama. 'Die veilig is een nogal chique bedoening en je vader wil dat we er allebei leuk uitzien.'

Lotje zuchtte. Ze douchte en trok met tegenzin het witte bloesje en het wat uitwaaierende gebloemde jurkje aan. Ze voelde een prik van spijt toen ze aan het Gucci-jurkje van Mirabelle dacht.

'In welke tijd en op welke planeet leven mijn ouders toch?' vroeg ze haar spiegelbeeld terwijl ze enkele keren rond haar as draaide.

Omstreeks drie uur kwamen ze bij het veilinghuis aan.

'Wat een drukte', bromde mama.

Taxi's reden af en aan. Mensen stonden in de rij om naar binnen te kunnen.

Lotje herkende de cameraman van de persconferentie en keek bewust de andere kant op toen ze hem voorbijliep.

'Wij kunnen via de personeelsingang. Kom maar mee. Papa heeft het geregeld', zei mama.

Misschien was dat wel zo, maar de reusachtige man die de deur bewaakte, wist nergens van.

'Het spijt me, mevrouw. Ik heb de opdracht om hier niemand binnen te laten. Het spijt me. Niet aandringen alstublieft!'

'Kunt u niet eventjes bellen? Naar de secretaresse of naar mijn man zelf?'

De man schudde zijn hoofd.

'Ik heb geen nummer van die mensen.'

Zenuwachtig begon mama in haar tas te rommelen. Ze vond haar mobieltje natuurlijk helemaal onderin. Ze probeerde eerst het nummer van Sylvie. Het was aldoor bezet. De bewaker grijnsde. Toen toetste ze het nummer van papa in. Die antwoordde bijna meteen.

'Hoi, lieverd. We staan bij de personeelsingang, maar we mogen er niet in. Wil je tegen de man die de deur bewaakt…'

Lotje kon de stem van papa duidelijk horen.

'Geef hem eens door. Het is een heksenketel hier. Geef maar.'

De bewaker nam het mobieltje aan en luisterde.

'In orde, meneer. Natuurlijk is het tegen de regels. Maar goed, u beslist. Ik ben dan niet langer verantwoordelijk. Ja, meneer.'

De man was duidelijk niet tevreden.

'Je kunt zo Jan en alleman opbellen', bromde hij, maar hij hield wel de deur open.

In de gang was het geroezemoes al duidelijk te horen. Onwillekeurig tastte Lotje naar de hand van mama. Ze stapten de expositieruimte binnen. Daar was het echt dringen. Iedereen wilde de spullen die zouden worden geveild bekijken.

'Dit wordt een topdag voor Ars pro domo', glunderde mama. 'Gelukkig maar. Papa heeft keihard gewerkt om dit voor elkaar te krijgen.'

Ze bleef staan voor een sierlijk gebeeldhouwde kast op vier hoge, slanke, gedraaide poten.

'Wat is dat voor een ding?' vroeg Lotje verbaasd.

'Geen idee', zei mama. 'Maar als jij nu eens een catalogus ging halen bij Sylvie. Er staat een hele rij mensen aan te schuiven, maar tegen een kind dat zijn beurt niet afwacht, zegt niemand wat. En Sylvie kent je…'

'Mama! Wil je echt dat ik voorkruip? Je zegt altijd dat ik netjes mijn beurt moet afwachten.'

'Wil jij echt dat je arme, oude moeder een kwartier in de rij moet staan en rugpijn krijgt? Ik kan intussen al wat spullen bekijken. Ga nu maar.'

Lotje glipte langs de muur weg. Ze hoorde mensen in een heleboel vreemde talen praten. Het was dus echt wel een belangrijke veiling. In het midden van de expositieruimte was er bijna geen doorkomen aan.

'Dames en heren, *mesdames, messieurs, meine Damen und Herren, ladies and gentlemen*', zei een warme stem die uit het plafond leek te komen.

'We zullen zo dadelijk *Lezend Meisje*, het meesterwerk van Picasso, uit het plexiglas halen. U kunt het schilderij dan van dichtbij bekijken. Op de vloer ziet u een rode cirkel getekend. Let er alstublieft op dat u geen voet binnen die cirkel zet, want dan treedt het alarm in werking. Mogen wij u ook vragen iedereen de kans te geven om het schilderij te bekijken? Dus doorschuiven nadat u hebt gekeken, alstublieft. U kunt vanaf nu ook plaatsnemen in de veilingzaal. Het nummer van uw stoel is het nummer dat op uw catalogus is aangegeven. We wensen u nog een prettige avond.'

De warme stem werd afgelost door een zilveren vrouwenstem die dezelfde boodschap in het Frans, het Duits en het Engels herhaalde.

Vanwaar ze stond, kon Lotje het schilderij niet zien, maar het bewonderende gemompel van de omstanders was duidelijk. Na heel wat gedrang belandde Lotje toch bij Sylvie. Ze kreeg de catalogus meteen en twee witte kaartjes met de nummers 12 en 14.

'Je papa heeft speciaal mooie plaatsen voor jullie uitgezocht', zei Sylvie. 'Tweede rij links. En wat zie jij er leuk uit vandaag!'

Lotje stak haar tong uit. De mensen in de buurt lachten. Sylvie ook.

Lotje draaide zich om. Toen hapte ze naar adem. Aan de andere kant van de zaal stond Malevitsj. Zijn hoofd stak boven de massa uit. Geen twijfel mogelijk. Zelfs van een afstand schit-

terde het blauw van zijn ogen haar tegemoet. Hij leek haar niet
te herkennen. Gelukkig maar. Lotje vond dat hij er gespannen
uitzag. Hij staarde naar de plek waar het dure schilderij nu uit
zijn kluis was gehaald. Mensen schoven aan om het te bekijken. Twee veiligheidsagenten lieten de mensen twee aan twee
lopen. Ze konden eventjes voor het schilderij blijven staan, het
bekijken en daarna gingen ze links en rechts verder.

Lotje keek opnieuw naar Malevitsj. Vergiste ze zich of gaf hij
iemand een teken? En zo ja, wie dan wel? Toen zag ze Vladimir.
Hij schoof in de linkerrij mee aan. Hij had een aluminium
koffertje in zijn hand.

Wat betekende dat allemaal? Ze zag hoe Malevitsj in zijn zak tastte. Hij haalde het blauwe mobieltje te voorschijn en klapte het schermpje open. Zonder naar het toestelletje te kijken, drukte hij op een toets. Toen liep hij haastig naar de uitgang. Lotje snapte er niks van. Tot opeens het licht uitviel en alle mensen begonnen te schreeuwen. Er klonk ook een luide knal. Nog een knal. En nog één. Het gekrijs was oorverdovend. Mensen duwden elkaar omver in de richting van de uitgang. Ergens viel iets aan scherven.

Het alarm begon hoog en scherp te loeien. Verstijfd van schrik drukte Lotje zich tegen de muur. Iemand trapte op haar tenen. En toen floepte het licht weer aan. Het lawaai van de alarminstallatie viel weg. Lotje had nu vrij zicht op het schilderij. Het meisje zat onverstoorbaar haar brief te lezen.

Lotjes vader en enkele van zijn collega's kwamen aanrennen. De twee veiligheidsagenten die het schilderij hadden bewaakt, krabbelden versuft overeind. Ze begonnen aan een duidelijk verwarde uitleg. Lotje zag hoe haar vader het schilderij van heel dichtbij bekeek. Ze keek om zich heen. Geen Malevitsj en geen Vladimir meer te zien. Waren die ook naar buiten gevlucht?

'Dames en heren...'

De warme stem zei dat om een onverklaarbare reden de stroom was uitgevallen. In het duister had iemand toen het alarm laten afgaan. Alles was intussen weer in orde. De veiling zou op het vastgestelde uur beginnen en alle aanwezigen werd dan ook verzocht zich naar de naastgelegen ruimte te begeven.

'Pipo! Wat doe jij hier?'

Stomverbaasd zag Lotje haar vriendje de snel leegstromende zaal binnenwandelen.

'Goedemiddag, juffrouw. Prettig u te ontmoeten', zei Pipo plechtig.

'Doe niet zo gek, Pipo. Hoe kom jij hier?'

'Door die deur', wees hij. 'Daar zijn deuren voor. Om binnen te komen en later weer naar buiten te gaan.'

Lotje geloofde haar oren niet.

'Ik dacht dat het interessant zou zijn', zei Pipo. 'Waarom zou ik ook niet gaan kijken hoe iemand tien miljoen uitgeeft?'

'En dus ben je gewoon naar binnen gekomen?'

'Ja, niemand hield me tegen. Wat betekende al die herrie? Ik zag mensen naar buiten rennen. Is jouw vader er ook?'

Lotje knikte. Toen merkte ze dat ze nog altijd de catalogus en de twee kaartjes in haar handen hield.

'Papa!'

Lotje liep naar het groepje mannen bij het schilderij.

'Lotje, ik heb eventjes geen tijd. We moeten dit schilderij naar de veilingzaal brengen. Mooi, hè?'

Lotje zag hoe haar vader *Lezend Meisje* voorzichtig optilde. Hij draaide de afbeelding naar zich toe. Lotje zag het frame. In de rechterbenedenhoek was een piepkleine salamander in het hout gegrift.

'Papa! Dit is het schilderij van Malevitsj! Hij was hier en Vladimir was er ook. Ik weet het zeker! Daar!' Ze wees naar het frame. 'Ik heb dit schilderij gezien in het huis van Malevitsj. Echt, papa, kijk dan toch. Die kleine salamander.'

Een van de collega's van haar vader boog voorover en schrok duidelijk.

'Zouden we dat doek wel naar binnen brengen, Robert? Ik vrees dat er iets aan de hand is…'

Lotjes hart hamerde in haar borst. Haar vader draaide het schilderij om en keek naar de plek die zijn collega aanwees.

'Wat voor de drommel heeft dat te betekenen, Willem?'

'Ik vrees dat dit een vervalsing is', kreunde Willem. 'Iemand heeft dit doek in de plaats van de echte Picasso gezet tijdens die herrie. Het lijkt krankzinnig, maar dat is de enige uitleg die ik kan bedenken. Jullie hebben niets gemerkt?'

De veiligheidsagenten stonden er nog altijd versuft bij.

'Ik kreeg een klap', zei de een.

'Ik ook,' zei de ander, 'en ik ging meteen van mijn sokken.'

'Malevitsj!' schreeuwde Lotje. 'Malevitsj was hier. En Vladimir. Die had een koffertje bij zich. Daarin zat...'

'Nu eventjes niet, Lotje. Zo meteen mag je alles vertellen. Willem, jij gaat naar de veilingzaal met de mededeling dat alles gewoon doorgaat...'

'Robert! Dat kun je niet maken!' riep Willem uit.

'Sst, Willem, laat me nu even uitpraten. Ik zei dus dat je de kopers gaat vertellen dat de veiling doorgaat, maar dat de verkoper van de Picasso zijn schilderij voorlopig uit de veiling heeft teruggetrokken. Wij respecteren zijn beslissing, maar doen alles om hem weer van gedachte te doen veranderen.'

Willem schudde zijn hoofd.

'Als het niet zo vreselijk was, zou ik nu in lachen uitbarsten. Lotje, die vader van jou is me het mannetje wel!'

'O, je weet het ook!' zei Lotje. 'En ik moet elke dag lief tegen hem zijn.'

Iedereen lachte. De sfeer was opeens minder gespannen.

'Papa, ik denk dat ik weet hoe we het schilderij kunnen terughalen.'

'Hoe?' riep Willem.

'Hola!' zei papa. 'Niet te hard van stapel lopen. We weten niet eens of er echt iets fout is met dat schilderij. Misschien hebben we dat salamandertje niet eerder opgemerkt? Sylvie!'

Het meisje aan de balie keek op.

'Bel Jean Duchapeau! Hij moet als de vliegende bliksem hierheen komen en dat schilderij onderzoeken.'

'En de politie?' vroeg Willem.

'Ik wil eerst zekerheid over dat schilderij. Lotje, meekomen. Ik wil nu je hele verhaal horen.'

'Mijn stukje ook?' vroeg Pipo.

Pas toen merkte Lotjes vader de jongen op.

'Als je wat te zeggen hebt, mag je ook meekomen.'

In looppas ging het naar een kantoor.

'Zo, ga zitten en vertel alles eens netjes, het ene na het andere, zonder fantasie en zonder overdrijvingen.'

Lotje begon. Beukenlaan, Malevitsj, schilderij op de ezel, verftubes...

'Nee!' zei Pipo. 'Het begint al vroeger. Toen Lotje dat mobieltje had gevonden heb ik GVC gebeld.'

'Galerie Van Coillie? Waarom?' vroeg Lotjes vader verbaasd.

'Zij hadden Malevitsj gebeld, dus zat hun nummer in zijn telefoon. Bij ontvangen oproepen. En het was nog maar pas gebeurd. De mevrouw van de galerie gaf me de naam en het adres van Malevitsj. En ze vertelde ook nog dat hij net een schilderij uit 1917 had gekocht.'

'Weet je dat zeker? 1917?' vroeg Lotjes vader. 'Heel zeker?'
Hij leek opeens heel erg opgewonden.

'Waarom?' vroeg Lotje.

'Omdat Lezend Meisje, tenminste het doek wat wij hebben, in dat jaar geschilderd is. Het is een voorstudie van het echte doek uit 1920. Nu, dat doet er niet toe. Ga door. Hebben jullie in dat huis nog meer schilderijen gezien?'

'Nee,' zei Lotje, 'en dat vond ik toen ook al gek. Ik ben eens met je mee geweest naar die schilder die altijd dikke mannetjes schildert. De kamer stond vol doeken... Maar daar stond alleen dat Lezend Meisje. Ze hebben er een polaroidfoto van gemaakt. Die hebben we gisteren gevonden.'

'Die heb ik gevonden, in de vuilnisbak', zei Pipo.

'Juist,' zei Lotje, 'jij bent de vuilnisbakkenkampioen.'

De intercom zoemde.

'Robert, Jean Duchapeau is er. Hij bekijkt het schilderij nu. Frame en doek komen uit de juiste periode. Wacht eventjes...'

Lotjes vader zat met gesloten ogen achter zijn bureau. Zijn handen waren tot vuisten samengeknepen.

'Geen twijfel, Robert. Het doek is een vervalsing. Schitterend gedaan, zelfs de penseelstreken zijn nauwelijks van die van Picasso te onderscheiden, maar er zit een ander schilderij onder. Een of ander landschap. Wat doen we?'

'Nog vijf minuten geduld. Ik kom. Ga verder, Lotje.'

Papa leek opeens weer kalm. Zijn handen trilden verdacht.

'Toen was er nog iets geks. Pipo herinnerde zich het nummer van Malevitsj. Hij belde op om...o, vertel jij maar verder, Pipo.'

Pipo grijnsde.

'Ik had het nummer op een bioscoopkaartje geschreven. Ik belde dus met Malevitsj en hij begon meteen te brullen. Dat ik niet mocht bellen. Hij wilde weten of het schilderij hier was. En toen zei hij dat hij me wilde zien na de veiling, in het Downtown hotel bij de luchthaven.'

De vader van Lotje sprong overeind.

'Stop!' schreeuwde hij. 'Dit is echt te gek voor woorden. Waarom wil hij jou zien?'

Pipo haalde zijn schouders op.

'Omdat hij dacht dat Pipo Vladimir was', gooide Lotje eruit.

'Vladimir?'

Het meisje knikte vol overtuiging.

'Toen ik die Vladimir voor het eerst hoorde praten, ook door zo'n ding,' Lotje wees op de intercom, 'dacht ik ook dat ik Pipo hoorde. Vladimir lispelt ook en heeft net als Pipo een nogal scherpe stem. Dus denk ik dat Malevitsj zich vergist heeft toen hij meende Vladimir te horen. En het was die Vladimir die met een koffertje vlak bij het schilderij stond toen de herrie begon.'

Lotje keek heel tevreden. Dat had ze prima uitgelegd. Of niet soms?

Haar vader viel terug in zijn stoel, begroef zijn hoofd in zijn handen en bromde iets onverstaanbaars. Toen ging hij rechtop zitten..

'Als ik het allemaal op een rijtje zet, denk jij dat die Malevitsj of die Vladimir een kopie van het schilderij van Picasso heeft gemaakt. Dat ding zat in dat koffertje en toen het licht uitviel heeft die Vladimir het echte schilderij met het valse verwisseld. En nu brengt hij dat naar een hotel bij de luchthaven?'

Lotje knikte.

'Slimme vent, jouw papa', zei Pipo.

De telefoon rinkelde.

'Ja, lieverd. Lotje is hier bij me. Nee, maak je geen zorgen. Alles onder controle. Oké, ik stuur haar naar je toe. Je zit op je plaats in de zaal? Mooi. Tot straks.'

Lotje zag best dat haar vader het moeilijk had om te geloven wat hij zelf had gezegd.

'Dan is dat vanaf nu een zaak voor de politie. Ophoepelen jullie. Lotje, je moeder wacht op je in de veilingzaal.'

Lotjes vader pakte de telefoon.

'Geef me de politie', zei hij. 'En snel.'

'Spannend, hè?' vroeg Pipo.

'Wel erg voor papa. Hij heeft heel hard gewerkt voor deze veiling.'

Het tweetal stond in de tentoonstellingsruimte waaruit intussen al veel dingen verdwenen waren. De veiling schoot blijkbaar goed op.

'Ga jij naar binnen?' vroeg Pipo.

'Wat moet ik anders?' zuchtte Lotje.

Pipo grijnsde weer.

'Ik dacht aan wat juf zei over twee jonge detectives.'

Lotje keek haar vriend stomverbaasd aan.

'Je wilt toch niet...'

Pipo knikte.

'De politie gaat het toch allemaal regelen?'

'Kennen die Malevitsj dan? Is het zijn echte naam? Hij zal wel een valse naam gebruikten. Wie kan Malevitsj of Vladimir herkennen? Jij en ik. Nee, jij nog beter dan ik.'

Lotje voelde de spanning kriebelen.

'Naar de luchthaven? Hoe komen we daar?'

'Op de fiets', zei Pipo. 'Zo ver is het niet.'

'Ik ben niet met de fiets. Mama en ik zijn met de auto.'

Pipo krabde eventjes in zijn haar.

'Je kunt bij mij achterop.'

'In deze kleren?' vroeg Lotje wanhopig. 'Dan waai ik uit mijn slipje!'

'Juist. Ik breng je eerst naar huis en daar pak jij je eigen fiets.'

Pipo leek wel erg vastbesloten. Lotje aarzelde nog.

'Mama wacht op me. O, goed, ik ga mee! Ik hoop alleen dat de huissleutel ligt waar hij zou moeten liggen. Anders kan ik niet naar binnen.'

Nog heel eventjes dacht ze aan de herrie die ze kon verwachten als ze met Pipo meeging. Maar het was té spannend. En zij hadden Malevitsj toch ontmaskerd...

Ze liep langs Sylvie.

'Zeg maar tegen mijn moeder dat ik al naar huis ben', zei ze haastig en ze rende weg.

'Doe ik', hoorde ze nog net.

11.

De sleutel lag gelukkig op zijn vertrouwde plekje. Lotje trok bliksemsnel andere kleren aan. Wat later fietsten ze als een gek langs de brede laan richting luchthaven.

'Weet jij waar dat hotel ligt?' hijgde Lotje.

'Dat vinden we zo. Een hotel bij de luchthaven is altijd heel groot.'

Lotje twijfelde nog. Auto's raasden voorbij. Er lag wel een fietspad, maar daar leek niemand op te letten.

'Daar!' wees Pipo.

Er stond een bordje met DOWNTOWN HOTEL YOUR FAVOURITE LANDING SPOT! Een pijl die een hoek van negentig graden maakte naar links. Vijftienhonderd meter.

Wat verder, in een flauwe bocht van de Luchthavenlaan, zagen ze het gebouw liggen. Veel glas, vlaggen van wel twintig landen die voor de ingang aan slanke palen wapperden. Boven op het dak stond in stevige letters de naam van het hotel.

'Zullen ze ons wel binnenlaten?' aarzelde Lotje.

'Waarom niet? Iedereen mag toch een hotel binnen? Anders verzin ik wel wat. Mijn vader, graaf Pipo de eerste van Truttië, komt hier logeren. Ik moet op hem wachten.'

Lotje lachte. Graaf Pipo de eerste! Waar haalde die knul dat toch vandaan?

De voorbijgangers keken vreemd op toen twee kinderen hun fiets tegen een van de vlaggenmasten zetten en resoluut naar de ingang van het hotel stapten. De glazen deuren schoven automatisch voor ze open. Lotje trilde van de zenuwen, maar Pipo liep alsof hij de zoon van de eigenaar was. Of de zoon van graaf Pipo.

Hij zwaaide eventjes naar de meisjes in rood en blauw die achter een glimmende balie stonden. Stomverbaasd merkte Lotje dat een van de meisjes glimlachte en terugzwaaide.

'Je kijkt alsof je jeans elk ogenblik kan scheuren', fluisterde Pipo. 'Doe toch gewoon.'

Lotje probeerde het. Ze sjorde wel haar jeans wat hoger op.

Opeens hield Pipo zijn pas in. Hij duwde Lotje haastig naar een rek waarin allerlei foldertjes zaten.

Bezoek het kantmuseum!

Een dag in de Zoo

Logeren in stijl in Mechelen

Lotje snapte het niet.

'Niet omkijken!' fluisterde Pipo.

'Wat is er dan?' piepte Lotje.

'Malevitsj is er!'

Lotje kreeg nog nauwelijks adem.

Handig duwde Pipo haar naar de achterzijde van het rek.

'Zie je hem? Daar, bij de balie. Hij is het toch? Lang, blauwe ogen...'

Lotje knikte. Malevitsj, inderdaad. En hij had het aluminium koffertje bij zich en kletste vriendelijk met een van de balie-medewerksters. Toen legde hij het koffertje op de balie. Het baliemeisje tikte iets op het toetsenbord van haar computer. Ze nam een vel papier uit een printer en schoof dat naar Male-vitsj toe. Die kreeg een balpen en zette zijn handtekening. Het meisje nam het koffertje op en verdween door een deur. Wat later was ze er terug. Ze gaf Malevitsj een kaartje.

De twee kinderen bleven gespannen toekijken. Ze mochten niets missen!

Malevitsj stopte het kaartje in het bovenzakje van zijn jas, koos een krant van een stapeltje dat op de balie lag en slenter-de al lezend naar de bar die rechts van de balie bleek te liggen.

Opeens begon Lotje weer te twijfelen. De man zag er zo rustig, zo knap en zo charmant uit! Kon zo iemand echt een schilderij van tien miljoen stelen en daarna rustig een krantje lezen?

Pipo pakte haar hand beet.

'Meekomen, we moeten zien wat hij doet.'

Lotje liep met knikkende knieën langs de balie naar een ruim bankstel. Vandaar konden ze door de glazen deur van de bar Malevitsj in het oog houden.

De ober bracht hem een kopje koffie. Malevitsj glimlachte, tekende een bonnetje af en stak een sigaar op. Daarna vouwde hij

zijn krant weer open en las verder. Af en toe tikte hij de as van zijn sigaar. Nu ze hem langer in het oog kon houden, merkte Lotje wel hoe gespannen aandachtig hij steeds weer rondkeek. Ten slotte legde Malevitsj zijn krant neer en haalde zijn mobieltje te voorschijn. Hij knikte, zei enkele woorden en klapte het toestelletje weer dicht. Toen plukte hij het kaartje dat hij bij de balie had gekregen uit zijn bovenzakje en legde dat op tafel.

'Wat doen we nu?' vroeg Lotje.

'Wachten op de politie en…hé!'

Pipo ging meer overeind zitten. Een man kwam gejaagd uit de lift van het hotel.

'Kijk', zei Pipo.

De man droeg een lichtgrijs pak, een blauw hemd en een lila das. Zijn glimmende zwarte haar was strak naar achteren gekamd. In zijn linkerhand droeg hij een aluminium koffertje. Lotje had meteen een hekel aan hem. 'Is dat het koffertje van Malevitsj?' fluisterde Lotje. 'Wat gebeurt er toch allemaal?'

Pipo ging op de rand van de bank zitten.

'Nee, dat is niet het koffertje van Malevitsj. Kan niet. Hij heeft het niet opgehaald bij de balie. Ik denk dat ik het snap. In dat koffertje zit het schilderij. Hij is een van de dieven en hij brengt het nu naar Malevitsj.'

De man keek nog eens onrustig rond en liep vervolgens recht op de deur van de bar af.

Malevitsj bleef de krant lezen. De man liep langs het tafeltje van Malevitsj. Zijn hand streek over de rand ervan.

'Hij pakt het kaartje', hijgde Lotje.

'En hij zet het koffertje neer! Zie je wel?' antwoordde Pipo.

De man liep nog een eindje door, deed alsof hij iemand zocht en beende toen weer naar buiten. Zonder op- of omkijken verdween hij in de lift.

Pipo rende achter hem aan, maar bleef bij de liftdeur staan.

Lotje keek als versteend toe. Nog voor Pipo weer bij haar was, gleed de deur van het hotel open.

Haar vader, Willem en twee onbekende mannen repten zich naar de balie. De twee mannen droegen geen uniform, maar door de manier waarop ze liepen en rondkeken, wist Lotje dat het politiemensen waren. De oudste van de twee zag eruit als een man die elke dag voor het ontbijt een stel boeven oppakte. Hij was duidelijk de baas.

Hij stelde ook de vragen aan de balie. De meisjes schudden allebei hun hoofd. Papa keek vreselijk ontgoocheld, zag Lotje. Ze stond op en liep naar het groepje. Ook Pipo kwam bij de balie staan.

'Lotje! Wat doe jij hier?'

'We wilden helpen. Jullie kennen Malevitsj niet. Ik wel. Hij zit in de bar en drinkt koffie!' zei ze.

Papa zuchtte.

'Lotje, dit is geen spelletje. Jij moest trouwens bij mama zijn. Weet je het zeker? In dit hotel logeert geen Malevitsj.'

'Hij zit daar! Zeker weten!' zei Lotje.

De rechercheurs wachtten af.

'Misschien gebruikt hij een andere naam. Dat doen boeven soms', zei Pipo.

'En hij heeft het koffertje met het schilderij', zei Lotje.

De twee politiemannen keken elkaar aan.

'Weet je dat zeker?' vroeg papa. 'Dit zijn commissaris Dejacht en inspecteur Vlotmans.'

'Dus jullie hebben de man herkend?' vroeg de commissaris.

Lotje knikte vol overtuiging.

'En ik weet ook wie de dief is', zei Pipo. 'Hij logeert hier op de dertiende verdieping. Toen hij met de lift naar boven ging, heb ik gekeken waar hij stilhield. Hij was alleen in de lift en hij ging recht naar de dertiende verdieping.'

'Je bent een echte speurder', glimlachte de commissaris. 'Eerst die Malevitsj maar. Hendrik, jij blijft hier met de jongen voor het geval dat die man die hij de dief noemt, opduikt. Dan hou je hem vast. Kom je mee?'

Dat laatste was voor Lotje bedoeld. Toen ze de bar binnenstapten, vouwde Malevitsj net zijn krant dicht. Hij nam een laatste slokje koffie toen Lotje en de drie mannen voor zijn tafeltje stopten. Hij drukte traagjes zijn half opgerookte sigaar uit in de asbak.

'Meneer Malevitsj?' vroeg commissaris Dejacht.

'Pardon?' zei Malevitsj. 'Wie zoekt u?'

De man deed heel verbaasd. Zijn blauwe ogen flitsten boos toen hij Lotje zag, maar verder gaf hij geen krimp.

'Ik heet helemaal geen Malevitsj. Mijn naam is De Kok. Gewoon kok als in de keuken.'

'Hebt u een identiteitskaart, meneer De Kok?'

'Papa, hij is het echt!' gilde Lotje. 'Hij zei dat hij Malevitsj heette. Dat heeft hij ook gezegd in de galerie waar hij dat schilderij met het salamandertje kocht. Hoe konden wij hem anders vinden in de Beukenlaan?'

Malevitsj keek haar opnieuw raar aan.

'Wie is dat kind?' vroeg hij en hij gaf zijn identiteitskaart aan de commissaris. 'En waar is de Beukenlaan?'

De commissaris bekeek de kaart en knikte.

'Lotje?'

Het meisje voelde zich vreselijk.

'Ik weet het zeker. Papa, hij heeft me toch dat loterijbriefje gegeven? Daarmee is alle ellende begonnen. Ik ken hem echt. En in dat koffertje zit het schilderij dat hij heeft laten stelen. Hij was op de veiling en Vladimir was er ook.'

Het klonk wanhopig. De commissaris keek somber. Maar goed, hij kon maar beter nog eventjes doorbijten.

'Meneer De Kok, mag ik u vragen om dat koffertje open te maken?' vroeg hij.

Willem en Lotjes vader stonden erbij alsof ze een oorveeg hadden gekregen.

'Met welk recht vraagt u dat? Toch niet omdat een kind met te veel fantasie me zomaar beschuldigt van iets waar ik geen weet van heb?'

Voor het eerst leek Malevitsj een beetje van zijn kalmte te verliezen.

'Meneer De Kok...'

Lotje kon nog altijd niet wennen aan die stomme naam. Malevitsj was het, Malevitsj bleef het voor haar.

'Ik eis een antwoord!' snauwde Malevitsj.

'Maak het ons niet moeilijk, meneer', zei de commissaris. 'Ik kan u ook meenemen naar het bureau. Daar blijven we dan gezellig wachten tot ik een officieel bevel heb van de onderzoeksrechter. U kunt ook hier het koffertje vrijwillig openmaken. Als u niets te verbergen hebt, excuseer ik me en u kunt gaan.'

De commissaris bleef ijzig kalm. Lotje deed het zowat in haar broek van spanning toen Malevitsj het koffertje oppakte en het op het tafelblad neersmakte. Het koffiekopje kantelde, viel om en kletterde op de grond aan scherven. De ober kwam toegeschoten, maar stopte toen de commissaris zijn hand opstak.

De sloten van het koffertje klikten. Vier hoofden bogen zich over het koffertje.

'O nee!' kreunde Lotje. 'Hoe kan dit?'

Ze keek naar Malevitsj. Er speelde een flauwe glimlach om zijn mond.

In het koffertje zaten twee catalogi van kunstveilingen, een agenda en een vreemd uitziende, piepkleine rekenmachine.

Lotje zag hoe papa een van de catalogi uit het koffertje nam en erin bladerde. Een schilderij van Miró was aangekruist. Papa toonde het aan Malevitsj.

'Kunstliefhebber?'

Malevitsj haalde zijn schouders op.

'Een hobby, meer niet', zei hij.

Willem pakte de tweede catalogus. Daarin stonden drie doeken van de Amerikaanse schilder Jackson Pollock aangekruist.

'Volgende diefstal?' vroeg Willem.

'Zo kan het wel weer, dacht ik. Wat willen jullie eigenlijk?' snauwde Malevitsj. 'Ik hoorde dat rotkind iets zeggen over een schilderij. Als jullie dat zoeken... hierin zit het alvast niet!'

Hij wilde het koffertje sluiten, maar Willem hield hem tegen. Lotje zag de assistent van haar vader grijnzen. Hij had duidelijk iets opgemerkt.

'Mag ik toch eventjes, meneer? Zit er soms een dubbele bodem in die koffer?'

Zelfs de commissaris voelde zich niet meer lekker.

'Ik denk dat we maar beter onze excuses kunnen aanbieden', zei hij.

'Wacht!' riep Willem en hij pakte de kleine rekenmachine op. 'Kunt u me vertellen wat dit is?'

Op het dekseltje stonden in sierlijke zilveren letters een B en een S.

'Een rekenmachine, nog nooit gezien?'

Willem klapte het dekseltje open. Een klaviertje met cijfers van 0 tot 9, een =-teken, een rijtje letters I ST C en een rode knop.

'Vreemde machine. Maakt u eens een sommetje?' vroeg Willem. Hij gaf het apparaatje aan Malevitsj.

Voor het eerst leek die een beetje zenuwachtig. Hij graaide het apparaatje uit de hand van Willem.

'Ik heb geen tijd voor die onzin. Ik moet een vliegtuig halen. Excuseer me nu!'

'Meneer, dit is geen zakrekenmachine. Dit is een codeermachine. Ze geeft u de elke dag wisselende toegangscode voor een geheime bankrekening bij de Banque Suisse. B en S!'

Lotje keek Willem heel verbaasd aan. Ze was niet de enige.

'Tot voor kort werkte ik bij een Brits veilinghuis. Daar verkochten we vaak heel dure schilderijen en nogal wat klanten hadden dit soort toestelletjes', grijnsde Willem. 'Vandaar.'

'Praat toch geen onzin!' zei Malevitsj. 'Wat moet ik met een geheime bankrekening?'

'De verkoopprijs voor een gestolen schilderij erop laten storten, bijvoorbeeld?' zei Willem. 'Je opdrachtgever geeft je dit apparaatje, jij kunt het geld ophalen zonder dat iemand het merkt.'

Malevitsj gooide het apparaat in zijn koffer en klapte die dicht.

'U hebt een geweldige fantasie, meneer!'

Malevitsj stond op. Hij knikte naar de commissaris en liep toen naar de deur van de bar.

'Doet u niets?' vroeg Willem. 'Waarom heeft die man zo'n ding bij zich?'

'Dat is niet verboden', zuchtte de commissaris.

Opeens kreunde Lotje hoorbaar. Hoe kon ze zo stom zijn.

'Hij heeft het koffertje net gekregen. Dat is het! De dief heeft hem nu betaald!' gilde Lotje. 'Die man van de dertiende verdieping gaf het hem. Dus zit het schilderij in dat andere koffertje.'

'Hou op, Lotje!' snauwde haar vader.

'Laat haar toch vertellen, Robert. Commissaris, houd die man nog eventjes aan de praat, alsjeblieft. Ik snap het nog niet helemaal, maar dat gedoe met die koffertjes is zeker verdacht. Hij heeft ermee te maken!'

De commissaris zuchtte nog een keer, haalde zijn schouders op en ging achter Malevitsj aan.

'Lotje?'

'Vladimir gaf Malevitsj het schilderij. Malevitsj gaf het af aan de balie en kreeg een kaartje. Toen kwam die andere man met het koffertje dat Malevitsj nu heeft, met de catalogi en dat machientje. Hij zette het neer bij Malevitsj en pakte het kaartje op.'

Lotjes vader pakte haar schouder beet.

'Lotje, weet je zeker dat je dit niet uit een film of een boek hebt? Je hebt dat allemaal echt gezien?'

Willem was zo gespannen als een veer.

'Welke film?' vroeg Lotje.

'Goed, nu snap ik het. Robert, dit is een klassieke manier om geld tegen de buit te ruilen. We moeten die andere man vinden. Weet je hoe hij eruitziet?'

Lotje knikte overtuigd.

'Kom dan maar mee.'

In de hal van het hotel stond de commissaris met Malevitsj te praten. Het ging er niet echt vriendelijk aan toe.

'Nee, meneer!' hoorde Lotje commissaris Dejacht schreeuwen. 'U gaat mee. Ja, dan neemt u maar een andere vlucht. Nu gaat u daar zitten. Zitten! Of moet ik u meteen in de boeien slaan?'

De meisjes achter de balie keken elkaar bang aan. Een van hen pakte de telefoon.

Pipo en inspecteur Vlotmans zaten op de leren bank waar Malevitsj nu ook ging zitten.

'Dit krijgt een staartje, commissaris. Ik laat me zo niet behandelen, alleen omdat een kind met te veel fantasie beweert dat ik een schilderij heb gestolen. Dat heb ik niet!'

'Nee,' zei Pipo, 'dat heb je laten doen door Vladimir.'

'Jij je bek houden, kleine idioot! Ik ken helemaal geen Vladimir!' snauwde Malevitsj.

Uit het kantoor naast de balie verscheen een kale man in een donker pak met krijtstreepje. Hij liep haastig op de commissaris af.

'Heren? Ik ben Michel Daerden, de manager van dit hotel. Mag ik vragen wat er aan de hand is? U begrijpt dat dit heel vervelend is voor een…'

'Meneer Daerden, ik begrijp uw bezorgdheid, maar we hebben zo het vermoeden dat deze man betrokken is bij een schilderijendiefstal en dat een of meer van zijn handlangers nog in het hotel zijn. Nee, we kennen de naam of namen niet, maar deze kinderen hebben minstens één van hen hier gezien. Dus wachten we tot die opduikt.'

De manager lachte moeilijk.

'Kan dat niet wat minder opvallend?' vroeg hij.

'Als u ons ergens brengt waar we de balie kunnen zien zonder op te vallen, is dat prima.'

Daerden knikte opgelucht.

'Komt u mee.'

De hele groep liep achter hem aan naar een ruim kantoor. Overal kasten, een groot bureau en een gerieflijke stoel met een hoge leuning. Er stond ook een bijzettafeltje en net zo'n leren bankstel als in de hal van het hotel.

'Neem plaats alstublieft. Door dat raam kunt u alles zien wat bij de balie gebeurt.'

'Er was toch helemaal geen raam bij de balie?' vroeg Pipo verbaasd. 'O! Zo'n spiegel waar je aan deze kant doorheen kijkt.'

Meneer Daerden knikte.

'Soms is het nodig dat ik…'

'Hé!' riep Lotje. 'Daar is hij! De man die het koffertje naar Malevitsj bracht. Hij heeft een ander pak aangetrokken, maar hij is het. Ik herken hem aan zijn haar!'

De onbekende met het strak naar achteren gekamde haar stond bij de balie. Hij trommelde zenuwachtig met zijn vingers op de rand terwijl een van de medewerksters met de computer aan de slag ging.

'Die man met dat glimmende zwarte haar?' vroeg de hotelmanager. 'Onmogelijk! Hij is Boris Galatinov, een van de rijkste Russische handelaren in edelstenen! Hij is in enkele jaren tijd immens rijk geworden. Zijn levensverhaal stond onlangs nog in Time Magazine. Het is een hele eer voor ons dat hij hier logeert.'

Willem lachte.

'Als hij dat schilderij wilde laten stelen, zal het hem een flinke duit gekost hebben. Dat zou ik van mijn salaris niet kunnen betalen.'

Hij keek spottend naar Malevitsj, maar die zat erbij alsof het hem niet aanging.

'Waarom koopt hij het niet gewoon?' vroeg Lotje. 'Als hij toch zoveel geld heeft?'

'Omdat je meestal niet in korte tijd immens rijk wordt als je eerlijk zaken doet', zei commissaris Dejacht. 'En omdat rijke mensen nooit graag de volle prijs voor iets betalen.'

Ze bleven gespannen naar de balie kijken. Inspecteur Vlotmans peuterde zenuwachtig in zijn oor.

Galatinov kreeg de rekening voor zijn verblijf en haalde een platinakleurige kredietkaart uit een zwarte portefeuille. Daarna viste hij een kaartje uit zijn jaszak.

'Het kaartje van Malevitsj!' gilde Lotje. 'Hij haalt het koffertje op! Kijk!'

Dat hoefde ze niet te zeggen. Haar vader, de commissaris, de inspecteur en Willem stonden intussen bij het raam. Het baliemeisje nam het kaartje en verdween door een deur achter de balie.

Galatinov bekeek de rekening, vouwde hem op en stopte hem in zijn binnenzak. De baliemedewerkster legde het koffertje voor hem op de balie.

De commissaris liep naar de deur. Toen kwam Malevitsj in actie. Hij sprong op, duwde de commissaris omver, gooide de deur open en brulde iets. Lotje zag hoe Galatinov schrok. Hij liet zijn reiskoffer staan, greep het aluminium koffertje en rende naar de uitgang. De hotelmanager schudde ongelovig zijn hoofd.

'Jij die De Kok!' schreeuwde de commissaris.

Inspecteur Vlotmans haastte zich als eerste door de deur. Hij schoot naar links weg, achter Malevitsj aan.

Pipo was sneller dan de commissaris, maar niet snel genoeg. Toen hij bij de uitgang kwam, was de Russische zakenman verdwenen. Het leek wel alsof hij in de lucht was opgelost.

'Waar is hij?' schreeuwde de commissaris.

'Geen idee', hijgde Pipo.

Hij liep het hotel uit en keek rond op het parkeerterrein. Niemand. Pipo liep naar zijn fiets.

In de hal zag Lotje hoe inspecteur Vlotmans Malevitsj te pakken had gekregen en hem geboeid naar de uitgang van het hotel bracht. Willem liep naast hen met het aluminium koffertje.

Lotjes vader stond met de commissaris bij de balie. De politieman had een vel papier in zijn handen en praatte in een telefoon.

'Jou zie ik nog wel!' snauwde Malevitsj terwijl hij langs Lotje heen liep.

Lotje liep achter hem aan naar buiten. Opeens schudde Malevitsj heftig met zijn hoofd. Een zilverkleurige auto reed nog eventjes verder uit een parkeervak en stopte toen brutaal. Lotje voelde haar hart een tel of wat overslaan. In die auto zat Vladimir. Malevitsj had hem een teken gegeven.

De commissaris en Lotjes vader kwamen zenuwachtig pratend naar buiten.

'De luchthaven is gewaarschuwd', hoorde Lotje de commissaris zeggen. 'Ze kijken naar hem uit.'

'Papa, daar, in die auto zit Vladimir. Misschien is dat ook niet zijn echte naam, maar hij is de man die me dat loterijbriefje moest geven. Hij had toen verf aan zijn vingers!'

'De vervalser?' vroeg de commissaris.

Hij beende naar de wagen en rukte het portier open.

Pipo stond nog altijd bij zijn fiets en keek om zich heen. Lotje liep op hem af.

'Niets?'

Pipo schudde mistroostig zijn hoofd.

'Ze hebben Malevitsj en Vladimir,' zei Lotje, 'maar het schilderij is...'

Ze kon haar zin niet afmaken. Uit de ondergrondse garage kwam opeens een zware, zwarte wagen aanscheuren. De banden piepten. Zodra de chauffeur de bocht had genomen, duwde hij het gaspedaal in.

'Pipo!' schreeuwde Lotje. 'Galatinov! Hij gaat ervandoor!'

In een reflex greep Pipo zijn fiets en slingerde die voor de wielen van de auto. Geknars van metaal. De chauffeur schrok duidelijk en ging op de rem staan. De auto slipte en de motor sloeg af.

Lotje stond als een gek te gillen.

'Hier is hij! Hier!'

Willem was de snelste. Toen was ook Lotjes vader bij de auto. De chauffeur van de zwarte wagen probeerde woedend de motor weer te starten. Het ding gromde wel, maar sloeg niet aan. Woest beukte de chauffeur op zijn stuurwiel. Op de achterbank lag een aluminium koffertje.

12.

'Het was me het dagje wel', zuchtte Lotjes vader terwijl hij zijn schoenen uittrok en zijn voeten op het bijzettafeltje legde.

Hij zag er afgepeigerd uit en geeuwde af en toe.

'Maar we hebben ze gepakt!' zei Lotje triomfantelijk.

Mama kwam bij hen zitten. Op een blad stonden een schaal met koekjes, twee kopjes thee en een mok met melk. Lekker!

'Het had een ramp kunnen worden. Ik snap nog altijd niet hoe ze het zo hebben kunnen bedenken. Eén uur lang was het schilderij iets minder beveiligd. Iets minder! Het alarm was aanwezig, er waren bewakers...'

Lotje genoot van de herinnering.

'Het heeft wat moeite gekost om een aantal dingen uit te leggen, maar dat lijkt gelukt. Morgen veilen we het schilderij en dan is het allemaal voorbij. Oef!'

'Jammer,' zei Lotje, 'het was lekker spannend.'

Ze nam nog een koekje. Haar vader lachte een beetje moeilijk.

'Spannend? Ja, voor jou wel!'

'En nog een geluk dat je vader absoluut wilde dat je dat loterijbriefje terugbracht, niet?' plaagde mama.

Nu keek Lotje een beetje sip, maar mama had gelijk. Ze zouden anders nooit geweten hebben wie er achter de diefstal zat.

'Gelukkig wilde Pipo meegaan', zei ze. 'Hij is toch geweldig, niet papa? Zomaar zijn fiets onder die auto gooien?'

'Het kost me wel een nieuwe fiets!' zuchtte papa.

'Twee fietsen! Je hebt het beloofd!' riep Lotje. 'En een keertje samen met Pipo naar een pretpark.'

'Gelijk heb je, Lotje. Dat is het minste wat het veilinghuis voor jullie kan doen', zei mama. 'En nu naar bed, jongedame.

Ook boevenvangers moeten morgen naar school.'

Lotje tuimelde terug in de werkelijkheid. School? O, jakkes!

'Mag ik eerst Pipo nog even bellen? Ik moet hem dringend iets zeggen.'

Lotje was de kamer al uit met de looptelefoon. Na drie beltonen nam iemand op.

'Met mevrouw Joris.'

'Met Lotje, mevrouw. Is Pipo... euh, Philippe er?'

Mevrouw Joris lachte eventjes.

'Philippe! Iemand aan de telefoon die jou Pipo noemt!' hoorde Lotje haar roepen.

Toen klonk er verward gestommel.

'Lotje? Hoi!'

'Pipo, is er bezoek bij jullie?'

'Bezoek? Nee, waarom?' vroeg de jongen verbaasd.

'Ook niet die oom van je die bij een krant werkt?'

Het bleef enkele tellen stil.

'Nu snap ik je! Je wilt morgen samen met mij in de krant? Zal ik hem bellen? Zal ik een fotograaf sturen? Heb je een pyjama aan met beertjes of zo?'

'Pipo!' brulde Lotje. 'Waag het niet, aap die je bent! Ik haal de darmen uit je lijf en knoop je daarmee op. Geen woord, hoor je?'

Pipo reageerde niet.

'Ben je boos, Lotje?' vroeg hij toen.

'Nog niet, maar als er morgen ook maar één fotograaf of zo bij de schoolpoort staat, zul je wat beleven. Echt hoor, ik wurg je of zo.'

Pipo lachte.

'Tot morgen!'

Lotje voelde zich opeens vreselijk ongerust. Met die jongen wist je het nooit!

Verbaasd stelde Lotje de volgende morgen vast dat ze als een blok had geslapen. Ze had niet eens gedroomd. Ze wipte uit bed en rende de trap af. Mama of papa waren nog niet op. De krant zat zoals altijd half in en half uit de brievenbus.

In de keuken sloeg Lotje haastig bladzijde na bladzijde om. Haar ogen gleden over de titels, bleven eventjes haperen bij de foto's.

Schilderijdieven opgepakt

Het berichtje stond onderaan op pagina 24. Oef, hoe kleiner het stukje tekst, hoe minder belangrijk en dan ook nog op de streekpagina.

'Gisteren heeft de federale politie in recordtempo de diefstal van een bijzonder waardevol schilderij opgelost. Het was gestolen in opdracht van een buitenlandse zakenman van wie de politie voorlopig de identiteit niet wil onthullen.

De dieven hadden het doek verwisseld voor een opvallend goed geschilderde vervalsing en maakten gebruik van een stroomonderbreking in het veilinghuis Ars pro domo.

Ze werden gearresteerd in een hotel toen ze er met de buit vandoor wilden. De federale politie baseerde haar actie op enkele waardevolle tips van mensen die verdacht gedrag van de dieven hadden opgemerkt. Ze zijn aangehouden en voorlopig overgebracht naar de gevangenis van Leuven. (MdF)

Lotje was opgelucht. Geen namen. Geen foto's. Anders wel jammer. Een avontuur waarover je kunt vertellen, is toch nog leuker.

Op school was alles weer bij het oude. De jongens voetbalden, de meisjes stonden in groepjes bij elkaar. Het clubje vergeleek opgewonden de nieuwste kleren... Lotje was opnieuw gewoon Lotje. Alleen Pipo knipoogde af en toe naar haar. De dag ging traag voorbij.

'Ben je echt weer op dat gekke ding naar school gekomen?' vroeg Pipo.

'Ja en zo is alles begonnen, weet je nog. Als ik op die oude rammelende fiets was geweest, had Malevitsj...'

'De Kok', lachte Pipo.

'Ik vind de naam Malevitsj veel spannender. Na het weekend kom ik op mijn nieuwe fiets. Jij toch ook?'

'Zeker weten. Je had het gezicht van mijn pa moeten zien toen de politie mij en dat wrak thuis afleverde.'

Pipo gooide zijn skateboard op de tegels.

'Je was wel super toen je hem voor de auto slingerde', zei Lotje nog.

'Zeker weten! Lotje? Nee... niks!' bromde Pipo terwijl hij al wegratelde.

Lotje zwaaide hem na. Hij keek alweer niet om.

Toen stepte ze naar huis. Eventjes een ommetje langs het tehuis voor daklozen? Ze wist niet wat ze had verwacht, maar daar was niets te merken van opwinding.

School, Pipo, hier... Alles was weer gewoon. Het leek bijna alsof er helemaal niets was gebeurd.

Die avond gaf de regionale televisie een kort berichtje over de plannen van het tehuis voor daklozen. Het zou helemaal opgeknapt worden, er kwamen kamers bij en de keuken werd vernieuwd. Niemand stelde vragen over het geld...

Lotje glimlachte.